街場の芸術論

青幻舎

はじめに

みなさん、こんにちは。内田樹です。

今回は『街場の芸術論』です。「ありもの」を編集してもらったものです。「芸術論」という括りでこれまで書いたものを集めて、一冊の本を編むというのは編集の吉田遊介さんのアイディアです。これまで文学論、映画論というジャンルでは何冊か本を出しましたが、「芸術」というような大枠で本を作るのははじめてのことです。「こんなタイプの原稿がまだほかにもありますか」と訊かれて、僕もハードディスクの底をサルベージして、いくつか旧稿を拾い集めて送りましたけれども、おおかたは吉田さんが自分の感覚で集めたくれたものです。

おかげで、単行本未収録の書き物をいくつか拾ってもらいました。とくに音楽について書いたものはどれもあまり発行部数の多くない媒体に寄稿したものですので、書籍のかたちでこうして残すことができたことをとても感謝しています。

単行本というのは書き手が「素材」を提供し、編集者がそれを「料理」するという共同作業です。食材がいくらたっぷりあっても、料理人が手際よく切り捌いて、煮炊きしてくれないと、土や皮のついたままでは食卓には出せません。本書を構成するテクストの選択も配列も僕ではたぶん絶対に思いつかないものでした。オリジナルな「料理」を創作してくれたことについてまず編集の吉田さんに御礼を申し上げます。どうもありがとうございました。

本書は表現の自由、言論の自由というわりと原理的な（硬い）話から始まって、文学、映画、アニメとだんだん話柄が柔らかくなってきて、最後にポップスについてのかなりパーソナルなエッセイで終わるという結構です。「外殻は煎餅で、そのあとカステラとあんこが続いて、中心部はホイップクリーム」みたいなつくりです。ですから、読者のみなさんは、ご自身の嗜好に合わせて、好きなところから読み始めてくださって結構です。

本書に登場するのは、固有名詞を挙げれば、小津安二郎、宮崎駿、三島由紀夫、村上春樹、大瀧詠一、キャロル・キング、ビートルズ、ビーチボーイズといった方たちです。映画作家、小説家、ミュージシャンとジャンルは多岐にわたります。共通しているのは、僕が個人的に偏愛している人たちだということです。

僕が彼らを論じるときの立ち位置は、学者でも、批評家でもありません。あくまでも一、ファ、ン、と、し、て、です。

一ファンとしてそっと読者の前に差し出すというのが僕のスタンスです。

高校生のときに、「これ。貸してやるから、聴いてみろよ。なかなかいいぞ」と鞄の中から新譜のレコード盤を取り出してくれるような友人がきっといたと思いますけれど（もうアナログのレコード盤があまり目に触れない時代に育った方も「そういう時代」の高校生の様子を想像してみてください）、あれに近いです。

そういうときのファンの口立てって独特なんですよね。とにかく、相手を「その気」にさせないといけない。でも、あまり押しつけがましくてもいけない。押しつけ過ぎるとかえって逆効果になるから。推すけれども、無理押ししないというさじ加減がむずかしいのです。あまり強く薦めてしまうと、その作品との出会いが誰かにコントロールされたもので、偶然に出会ったという気分にならないからです。何かをほんとうに好きになるためには、偶然に出会ったという条件が必要なんです。偶然目が合ったのだけれど、それが後から思うと宿命的な出会いだった…という「物語」がたいせつなんです。

本はそうですよね。書店で書棚の間をぼんやり歩いているときに、一冊の本と「目が合う」。タイトルの音韻であったり、装丁の色使いであったり、コンテンツとは無関係なところに何かしら惹きつけられるものがあって手に取る。著者の名前も知らないその本をぱらりとめくってみたら、いきなり著者の息遣いが間近に感じられて、ふらふらとレジまで持ってゆく。だいたい、書物との宿命的な出会いってそういう感じですよね。

新聞の書評が絶賛していたからとか、友だちに強く薦められて読んだという場合、それは

「自分がみつけた本」とは言えません。「たまたま目が合った」のじゃないと、「宿命的な出会い」だとはなかなか思えない。

　僕は自分が大好きなものを人に薦めたい。でも、かなうことなら、それとの出会いをその人にとっても「宿命的」なものとして経験して欲しい。「ウチダにうるさく薦められたからなあ」という印象が残ってしまってはダメなんです。それだと、その人の all time best リストには入らない。そこには「自分でみつけたもの」しか入れないからです。それでは僕は困る。

　ファンというのは「ファンを増やすことをその主務とする人」のことです。これは僕の個人的な定義です。でも、これ、なかなか使い勝手のよい定義だと思います。ファンとはファンを増やすことを主務とする人である。とすると、ファンの一番たいせつな仕事は、できるだけ多くの人に「これは宿命的な出会いだ」と思って頂けるように、そっとプレゼンテーションをすることだということになる。

　この「そっと差し出す」というのがなかなかむずかしいんです。

「押しつけがましいのはダメ」と上に書きましたけれど、「あまりつんけんしているのもダメ」なんです。ときどき熱烈なファンでありながら、「この作家・作品の真価を理解できる者はこの世にほとんどいないであろう。いなくてもよい。私が死んだら、私といっしょにこの作品の理解者が世界から消える。それでよいのだ。凡愚の徒にはこの良さがついにわからぬのだ…」

というようなことを口走る悲観的（でかつ態度のでかい）な人がいますけれど、僕はそういうのはどうかなと思います。

できることなら自分が死んだ後も、その作品の真価を伝道し続けてくれる後継者を絶やさないように心掛けるのがほんとうの「ファン」ではないか。とりあえず僕はそう考えています。

ですから、この本を読んで、これらのクリエーターたちの名前をはじめて知ったという人が「そこまで言うなら、ちょっと読んで（観て／聴いて）みようかな」と思ってくれたなら、それだけでこの本を出した甲斐はあったというものです。

2021年5月

目次

第2章　小津安二郎

第5章　音楽と、その時代

特別対談　内田樹×平田オリザ

地域を限定して「小さな公共」を背負う／「演劇」を学ぶのは世界のスタンダード／地方に資源を「分散」させる／政府が公認しないところに意外な「鉱脈」がある／反知性主義の根底には人々の「寂しさ」がある／武道と演劇の身体性をめぐる共通点／ポピュラリティーがないものに存在理由はないのか？／「公的＝時の権力者の近さ」という大きな誤り

序章　表現の自由、言論の自由、民主主義

民主主義をめざさない社会

統治機構が崩れ始めている。公人たちが私利や保身のために「公共の福祉」を配慮することを止めたせいで、日本は次第に「国としての体」をなさなくなりつつある。

誰かの怠慢や不注意の帰結ではない。過去30年ほどの間、日本国民一人一人の孜々《しし》たる努力の成果である。

私はこの現象をこれまでさまざまな言葉で言い表そうとして来た。「反知性主義」、「ポピュリズム」、「株式会社化」、「単純主義《シンプリズム》」などなど。そして、最近になって、それらの徴候が「民主主義をめざさない社会」に固有の病態ではないかと思い至った。その話をしたい。

過日、「表現の自由」について講演を頼まれた。頼まれてから、「表現の自由」とはそもそも何のために存在するルールなのか考えた。

たしかに、私たちの民主主義的な憲法は「表現の自由」を保証し、「公共の福祉」に反しない限りその自由を抑制することはできないとしている。でも、「表現の自由」を保証することでどのような「善きもの」がもたらされるのか？　人を憤激させるような表現や、人が大切にしているものを踏みにじるような攻撃的な表現にも自由は保証されるべきなのか？　表現してよいものといけないものを公的機関が判定することは許されるのか？　こういう問いに即答するのはむずかしい。

なぜ「表現の自由」は守るに値するものなのか？

残念ながら、その問いに対する答えは憲法本文には書かれていない。書かれていないのは、それが自明だからではない（自明なら「表現の自由」をめぐって論争が起きるはずがない）。書かれていないのは、その答えは国民が自分の頭で考え、自分の言葉で語らなければならないことだからである。

「表現の自由」にしろ、「公共の福祉」にしろ、「民主主義」にしろ、それにいかなる価値があるのかを自分の言葉で語ることができなければ、「そんなものは守るに値しない」と言い切る人たち（それはすでにわが国民の相当数に達している）を説得して翻意させることはできない。

憲法の定める「表現の自由」はいかなる「善きもの」をもたらすのか？

それを語らない限り、民主主義を語ったことにはならないと私は思う。

というのは、「民主主義とは何を目指した制度なのか？」を愚直に思量し、情理を尽くして語る努力こそが民主主義の土台をかたちづくると私は考えているからである。だから、「民主主義とは何のためのものか？」という問いを手離した人々はもう民主制国家を維持することはできない。

民主主義というのはどこかに出来合いのものがあって、それを「おい、民主主義一丁おくれ」と言えば誰かが持って来てくれるというものではない。それは私たちが今ここで手作りする以外にないものなのである。いま日本の民主主義が崩れつつあるのは、私たちがそのことを忘れたからである。

第二次世界大戦が終わった後に、ウィンストン・チャーチルは下院の演説において民主主義についてこう述べたことがある。

「この罪と悲しみの世界では、これまでに多くの政治体制が試みられてきたし、これからも試みられてゆくであろう。民主主義が完全で全能のもの（perfect and all-wise）だという人はいない。事実、民主主義は最悪の統治制度（the worst form of Government）だと言われてきた。これまで試みられてきたすべての統治制度を除けばだが。」

広く人口に膾炙《かいしゃ》したフレーズであるが、この言葉を引用する人たちは「民主主義は最悪の制度だ」という点を強調し過ぎるように私には思われる。民主主義は「ろくでもない制度」である。だが、それ以外の政治体制は「さらにろくでもない制度」である。それゆえ、われわれは民主主義をいやいや採用している。多くの人はそういうふうに論を運ぶ。なんだかシニカルで頭よさそうである。だが、私はその解釈を採らない。チャーチルはこの時に「民主主義は最も実現することが困難な政体である」ということを言いたかったのではないかと思うからである。

民主主義はまだ存在しない。私はそう思っている。「まだ」というか、たぶん永遠に存在しない。民主主義は「それをこの世界に実現しようとする遂行的努力」というかたちで、つまりつねに未完のものとしてしか存在しない。

それでいいのだと思う。

高い目標をめざす努力というのはどれも「そういうもの」だからだ。こちらの目の黒いうちに民主主義を実現することがかなわなくても、それを目指して前のめりに息絶えたということなら私の方には特段文句はない。

この世界には一神教徒が25億人ほどいる。彼らは世界の終わりの時にわれわれを救うために現れる救世主《メシア》の到来を信じている。だが、預言者がそう説いてからそろそろ３０００年ほど経つのに救世主はまだ来ない。これまで一度も起きたことがない出来事は、帰納法的に推論すれば、これからも起きない。だが、一神教の信者たちは彼らが生涯ついに出会うことのなさそうな救世主の到来を勘定に入れて今ここでの彼らの生活を律している。

ある概念の持つ指南力はそれが現実化する蓋然性とは関係がない。メシアが永遠に到来しなくてもメシアニズムは今ここで機能する。それと同じである。「完全で全能の民主主義」が永遠に到来しなくても、その概念が今ここにおける政治的指南力を持つことはあり得る。「民主主義」は一神教における「メシア」に比すべき超越的な概念なのだ。というのが私の仮説である。そんな変ちきなことを言う人は他にいないと思うが、そう考えると現代日本における民主主義の空洞化の説明がつく。

民主主義あるいは民主制（democracy）とはどういう制度なのか？

定義はそれほど難しくない。これは主権者が誰であるかによる政体の分類だからである。民主制の他には、君主制（monarchy）、貴族制（aristocracy）、寡頭《かとう》制（oligarchy）、無政府（anarchy）などいくつかの政体が同列に並ぶ。チャーチルが「これまで試みられたすべての統治制度」と呼んだものがそれだ。だから、「私は民主主義に反対である」と言う人は、これらのうちのどれかの政体を選択したと見なされる。

では、「主権者」とはどういう人間のことか。私はこれを「自分の個人的運命と国の運命の間に相関がある（と思っている）人間」と定義したいと思う。これもまた個人的な定義であり、一般性を要求するわけではない。とにかくこの定義で話を進めさせてもらう。

帝政や王政においては皇帝や国王が主権者である。だから、明君賢帝であれば国は治まり、暗君愚帝であれば国は乱れる。貴族政や寡頭制でも話は変わらない。主権者の賢愚や善悪がそのまま国運を決する。それなら民主制でも話は同じはずである。民主制は国民が主権者である政体、すなわち国民ひとりひとりが「自分の個人的運命と国の運命の間には相関がある（と思っている）」政体である。そして、実際に国民ひとりひとりの賢愚や善悪が国運の帰趨《きすう》を決するのである。

アンドレ・ブルトンがどこかで「『世界を変える』とマルクスは言った。『生活を変える』とランボーは言った。この二つのスローガンはわれわれにとっては一つのものだ」と書いていたが、私はこれはそのまま民主制国家の主権者の条件として使えると思う。つまり、「自分の生活を変えることと国を変えることが一つのものであると信じられること」それが民主制国家における主権者の条件なのである。

自分のただ一言ただ一つの行為によって国がそのかたちを変わることがあり得るという信《しん》憑《ぴょう》を手離さない者、それが民主主義国家における主権者である。だから、主権者は「自分が道徳的に高潔であることが祖国が道徳的に高潔であるためには必要である」「自分が十分に知的な人間でないと祖国もまたその知的評価を減ずる」と信じている。遠慮なく言えば、一種の関係妄想である。だが、このような妄想を深く内面化した「主権者」を一定数含まない限り、民主制国家は成り立たない。

そのことは「主権者のいない民主制国家」というものを想像してみれば分かる。主権者のいない民主制国家では、国民は自分の個人的な生き方と国の運命の間には相関がないと思っている。自分が何をしようとしまいと、国のかたちに影響はないと思っている。公共的圏域はあたかも自然物のように自分の外に存在しており、自分が汚そうと傷つけようと蹴とばそうと盗もうと、いささかも揺らぐことはないと思っている。今の日本人はまさにそれである。

主権者であることを止めた国民というのは「高速道路が渋滞しているときに、路肩を走るドライバー」に似ている。彼以外のすべてのドライバーが遵法《じゅんぽう》的にふるまい、彼一人が違法的である時に彼の利益は最大化する。しかし、それを見た他のドライバーたちが彼を真似て路肩を走り出すと、彼のアドバンテージはゼロになる。これが民主制国家の抱える根本的なジレンマである。

公共の秩序が整っているときにこそ私利私欲の徒は大きな利益を得る。だが、私利私欲の徒が増え過ぎると秩序は崩壊する。だから、私利私欲の徒を根絶することはできないが、その人口比は「受忍限度」を超えてはならない。どうやって「公共の福祉を配慮する人」と「自己利益だけを追求する人」の比率をコントロールするか？　それが民主制国家の直面する最大の現実的問題である。

一定数の主権者（あるいはもっと平たく「大人」と言ってもよい）、つまり「自分の利害と国の利害は結びついていると思っている人」を民主制は含んでいなければ立ち行かない。それは上に申し上げた通りである。だが、社会の民主化が進み、「大人」の数が増えるにつれて、公共の福祉を顧みず利己的にふるまう人間（すなわち「子ども」）が得る利益は増大する。社会が民主化されるほど非主権者的＝非民主主義的にふるまう者はより大きなアドバンテージを享受できることになる。つまり、民主制とは、その構成員たちに絶えず「他の連中には法と倫理を守らせ、常識に従わせ、公共の福祉に配慮させておいて、自分ひとりは抜け駆けして利己的・違法的・非民主的にふるまう」ように誘いかけるシステムなのである。

ややこしい仕組みである。「最悪の統治制度」だとチャーチルが言うのも当然である。

しかし、それでも民主制はそれ以外の政体よりも「まし」だと私は思う。

民主制国家においてはとりあえず一定数の国民が、自助努力がそのまま国力の増大、国運の上昇に結びつくと信じているからである。自分がまず大人にならなければならないと信じているからである。

史書によれば、名君である尭《ぎょう》が五十年王位にあった後、自分の統治がうまくいっているかどうかを知るために変装して街を歩いたことがあった。子どもたちは「万民が幸福なのは皇帝の徳治のおかげだ」という童謡を歌っていたが、一人の老人は腹鼓《はらつづみ》を打ちながら「帝力なんぞ我にあらんや」とうそぶいていた。皇帝の徳治といまの自分の生活の間には相関があることを子どもは信じており、老人は信じていない。いずれが現実を正しく見ているかということは別にして、このあと「公共の福祉」のために汗をかく気があるのはどちらかかは誰にも分かる。

帝政王政の国では統治者一人が賢明であれば善政は行われた。でもそれは君主以外のすべての民が何の判断力も持たない愚鈍な幼児であっても機能する制度、むしろそうである方がよりよく機能する制度であった。だから、それらの制度は廃棄されたのだと思う。

私が民主制を支持するのは、それが「できるだけ多くの国民が適切な判断力を具えた大人であることの方がそうでないよりよく機能する制度」だからである。民主制国家は一定数の国民が大人であることを要求する。それが民主制の手柄である。

私が表現の適否を公的機関が判断することに反対するのは、その機関がつねに誤った判断を下すと思っているからではない（多くの場合、その判断は正しいだろう）。それが国民の適切な判断力の涵養《かんよう》に資するところがないからである。国民の市民的成熟を目指さないからである。それは「未成年者のために大人が決定を代替する」仕組みである。そして、そのような仕組みが整備された社会では子どもが大人になる動機づけは傷つけられる。「あなたが判断しなさい」と権限を委ねない限り、人は自分の判断力を育てようとはしない。「あなたが決めるのです」と負託しない限り、人は主権者としての自己形成を始めようとしない。

民主制はそのような「賭け」なのである。今の日本で民主制が衰微しているのは、私たちにその覚悟がなくなったからである。

（『サンデー毎日』２０２０年2月29日号）

言論の自由についての私見

1999年にインターネットにホームページというものを開設したときに、一つ自分にルールを課した。それは必ず固有名で発信し、自分の発言については責任を引き受けるということである。

実利的な理由もあった。

私も学者である以上、万が一他の誰もまだ述べていないようなオリジナルな学術的知見を発見する可能性は絶無ではない。その場合、当該学術情報についてのオーサーシップは私に属する。

むろん、文学研究のような浮世離れした世界では、そのようなプライオリティが現実的な利益（特許権とか）をもたらすことはほとんどない。しかし、「このアイディアを最初に思いついた人」として人に知られるのは（そのアイディアの被引用回数が増えると）なかなか愉快なことである。だから、何かアイディアを思いついたら「固有名のタグ」をつけておくことにしたのである（書き留めておかないと翌日には忘れてしまい、自分の論文にさえ使うことができないというより実利的な理由もあったが）。

紙媒体に寄稿したテクストも、ブログのテクストも、だから私の場合、原則は同じである。「自分の書いたことについては、その責任を引き受ける」、「自分が書いたことがもたらす利得については、それを占有するにやぶさかではない」。わかりやすい理屈だと思う。

ところが、この「わかりやすい話」がインターネット上ではなぜか通用しない。現在ネット上で発言している人の大部分は匿名の書き手だからである。

率直に申し上げて、私は彼らが匿名を貫く理由がうまく理解できないのである。

どうして、自分の書いたものに責任を取ろうとしないのか？　どうして、自分の書いたことがもたらす利得を確保しようとしないのか？

この二つの問いのうちでは、第二の問いの方が答えやすそうだから、こちらから先に手を付けよう。

どうして、自分の書いたことがもたらす利得を確保しようとしないのか？

理由はわりと簡単である。それは書かれたテクストが書き手に利得をもたらす可能性がきわめて低いからである。

ノーベル賞級の科学的発見をした人がインターネットに匿名で自分の仮説を公開するということは考えにくい（今のところ一人もいない）。

知的所有権のもたらす利益が大きいことが予測される場合、人はふつう匿名を選択しない。だから、匿名者が知的所有権（いやな言葉だが）を主張しないのは、合理的に推論すれば、自分が発信しているメッセージが知的に無価値であるということを彼ら自身が知っているからである。「これを書いたのは誰だろう？ぜひ、この人の書き物を本にしたい」とか「この人のアイディアでビジネスを始めたい」とか「この人にしかるべきポストをオッファーしたい」ということがありうると思っていれば、誰でも自分が何者であるかを明らかにする。それをしないのは、自分の書き物には学術的先見性であれ芸術的独創性であれ、知的価値のあるものは含まれていないという評価を本人自身が下しているからである。

にもかかわらず毎日数百万、数千万の人々が匿名での発信を続けている。だとすると、「知的に無価値なこと」を書くことによっても、やはり彼らは何らかの「利得」を手に入れていると考えなければならない。人は何の利益もないことをこれほど懸命にはやらない。

この場合に彼らが得ている「利得」はさしあたり「知的所有権」とか「知的価値」というような言葉で実定的に計量できるものではない。

では、彼らは何を手に入れているのだろう。

おそらく、彼らは「他者の逸失利得」を自分の「売り上げ」に計上しているのである。

そう考えてはじめてネット上の匿名の発言の相当数が「批判する言葉」であることの説明がつく。彼らの目から見て「不当な利益を占有している」と思われる他者が、その社会的地位や威信やポピュラリティを失うことを「自己利益の達成」とみなす奇習を身体化してなければ、こういうことは起こらない。

自分自身には直接的利益をもたらさないけれど、他者が何かを失い、傷つき、穢されることを間接的利益として悦ぶという言論のありようを言う適切な日本語がある。

「呪い」というのがそれである。

匿名の発言の多くが「呪い」の語を発しているということが知れると、「なぜ彼らは自分の書いたものの責任を取ろうとしないのか？」という問いにも自動的に答えが出る。

それは発した言葉が発信者に戻ってくると、それは発信者自身をしばしば致命的に傷つけ、損なうからである。「呪いを発信する人」として知られることは、現代のような近代社会においても、その人の社会的信用を損ない、友人や家族からの信頼を傷つけるに十分である（言葉遣いが激しい場合には刑法上の罪に問われることもある）。だから、発信者が誰であるかを特定可能である場合には、公共的には匿名性が担保されていても、「呪い」の言葉はほとんど見ることができない。

呪いの発信者として名が知られるということは、現代社会においても致命的だということを彼らは知っているのである。

呪いの言葉は触れるすべてのものを侵す。だから、発信者は自分が吐き出した「毒液」から身を避けなければならない。匿名は毒から身をかわすための「シールド」である。彼らは単に刑法上の罪を問われることを恐れてそうしているだけではない、自分がそのように危険な言葉の発信者であるという事実を自分自身に対してさえ隠蔽したいのである。

しかし、匿名での罵倒中傷によって人を傷つけ、それによって他者がこうむる社会的な損失や心理的な傷をおのれの「得点」にカウントするというこの「呪い」の習慣は、今の私たちの社会では「言論の自由」の名において擁護されている。

私は「呪いの言葉」も「言論の自由」という大義において擁護されるべきかどうかという原理的な問題について考えてみたいと思う。

議論の第一の前提は私たちの社会は言論の自由が抑圧されている社会ではないということである。

むろん、「日本には言論の自由が存在しない」と主張する人もいる。ある高名な社会学者が最近そう書いていた。けれども現にこの人に潤沢に提供されている発言機会を勘定に入れると、その主張に同意することは私にはできない。少なくとも私の場合に限って言えば、これまで言論の自由を具体的に侵された経験を持たない。さまざまな機会に、私は政治家や官僚や財界人や知識人を批判してきた。学生の頃などは、さらに勢いに乗って、革命による現政権の転覆の喫緊《きっきん》であることなどを書いたけれど、そのときも誰からも「そのようなことは書くな」という圧力を受けたことがない。私が操觚《そうこ》の人となったのちでも、「そのようなことを書いてもらっては困る」ということを言ってきたのは新聞社二社だけである。これらの新聞社はつね日頃から「言論の自由」をたいへん声高に主張しているところであった。彼らもまたさきの知識人と同じく「日本には言論の自由が存在しない」と信じており、「言論の自由が存在しない」という原事実をその寄稿者にまず経験させるべきだと考えたのかも知れない。

冗談で言っているのではない。

「言論の自由は存在しない」ということを平然と言える人間は、まさにその自らの発言に呪縛されるからである。その自己呪縛のメカニズムについては、またのちに論じる。

もう一度繰り返すが、私たちの社会は言論の自由が抑圧されている社会ではない。そうではなくて、「言論の自由」という概念が誤解されている社会なのだと私は思っている。

私たちは「言論の自由」という概念をどう誤解しているのか。それを解明するために、まず言論の自由についての予備的な確認から始めよう。

私の立てる第一命題は次のようなものである。

あらゆる言葉はそれが誰かに聞き届けられるためのものである限り口にされる権利がある。

これが「言論の自由」の根本原理と私の信じるものである。およそ人間の脳裏に生じたすべての言葉は、それが人間の脳裏に生じたという一事を以て、何らかの人間的真理を表示している。そして、どのようなものであれ（それが人間の底知れぬ邪悪さや愚かさについての真理であっても）、人間にかかわる真理は沈黙に勝る。

私はそう信じている。「言論の自由」にかかわるすべての推論はここから出発する。

そんなことわかりきったことじゃないかと言う人がいるだろう。そうだろうか。それほどわかりきったことだろうか。私はそうでもないと思う。具体的な例を取り上げてみよう。

少し前にヨーロッパに歴史修正主義という思潮が登場した。その中の一人にフランスの歴史学者ロベール・フォーリソンという人がいて、ナチスのユダヤ人強制収容所にはガス室はなかった、ユダヤ人たちは伝染病で死んだという説をなしたことがあった（この説を真に受けた日本人が『マルコポーロ』という雑誌にそのことを書いて、イスラエル大使館とユダヤ人人権団体の抗議で雑誌そのものが廃刊になったことがあったことをご記憶の方もいるだろう）。当然のようにヨーロッパのメディアはこの説に烈しい攻撃を加えた。

このときアメリカの言語学者ノーム・チョムスキーは、「言論の自由」を擁護する立場から、人は誰であれ言いたいことを言う権利があり、とりわけ、その意見が人々の神経を逆なでするようなものの場合は、一層擁護されねばならないと書いた。

「議論の余地なく自明のことは、表現の自由の擁護は自分が賛同する意見にのみ限定されるべきではなく、すべての人がそれを耐え難いものとみなすような見解においてこそ、もっとも力強く擁護されるべきであるということである。」(Noam Chomsky, 'Quelques commentaires élémentaires sur le droit à la liberté d'expression', in Robert Faurisson, *Mémoire en Défense*, La Vieille Taupe,1980,p.XII)

チョムスキー自身はフォーリソンの説にはまったく同意できないと書いている。説くところには同意できないけれど、私は自分が同意できない科学的理説を公開する権利を擁護したい。チョムスキーはそう述べた。

美しい言葉だ。けれども、私はこのチョムスキーの擁護論に軽々には同意することができない。それはフォーリソンが誰に向かって、何を成し遂げようとしてその言葉を語っているのかということをチョムスキーが問わなかったからである。

ことの真偽はともあれ、それによって傷つく人がどれほどいようと、汚される価値がどれほどあろうと、誰にでも言いたいことを言う権利はあるという言葉に私は同意しない。私たちは無人の荒野で、空に向かって語っているわけではないからだ。

すべての言葉はそれを聴く人、読む人がいる。

私たちが発語するのは、言葉が受信する人々に受け容れられ、聴き入れられ、できることなら、同意されることを望んでいるからである。だとすれば、そのとき、発信者には受信者に対する「敬意」がなくてはすまされまい。

発語は本質的に懇請である。私はそう思っている。聞き届けられることを望まないで語られる言葉というものは存在しない。そして、もし、その言葉がチョムスキーの言うように「すべての人がそれを耐え難いものとみなすような見解」であるならば、それだけ一層、それを提示するときに、受信者に対する敬意がなくてはすまされないと私は思う。

言論の自由が問題になるときには、まずその発言者に受信者の知性や倫理性に対する敬意が十分に含まれているかどうかが問われなければならない。というのは、受信者に対する敬意がなければ言論の自由にはもう存在する意味がないからである。

メッセージはその正否真偽を審問される場に差し出されるとき、「その正否真偽を審問する場」の威信を認めなければならない。そこで真として受け容れられることを望み、そこで偽として退けられることを望まない、という基本的な構えを放棄するようなメッセージは「言論の自由」の請求権を放棄しているのと同じことである。

「私は誰がどう思おうと言いたいことを言う。この世界に私の意見に同意する人間が一人もいなくても、私はそれによって少しも傷つかない。私の語ることの真理性は、それに同意する人間が一人もいなくても、少しも揺るがない」という人間には「言論の自由」を請求する権利がない。私はそう考える。

「私は誰の承認も得なくても、つねに正しい」と言う人が「言論の自由」を求めるのは、「すべての貨幣は幻想であり、無価値である」と主張する人間が、その主張を記した自著の印税を求めるのと同じく背理的である。というのは、「言論の自由」とはまさに「他者に承認される機会を求めること」に他ならないからである。

「言論の自由」は、自分の発する言葉の正否真偽について、その価値と意味について、それが記憶されるべきものか忘却に任されるべきものかどうか吟味し査定するのは私ではなく他者たちであるという約定に同意署名する人間だけに請求権がある。

自分が発する言葉は、他者に聴き取られなくても、同意されなくても、信認されなくても、その意味と価値をいささかも減じないと言い張る人間には「言論の自由」を請求する権利がない。なぜなら、彼の言葉は他者たちの場に差し出されるに先立って、すでに真理であることが確定しているからである。もし、言論の正否真偽を審問する場の成立に先立って、すでに真理である言葉が存在しうるなら、「自由な言論の場」に存在理由はない。

言論の自由とは端的に「誰でも言いたいことを言う権利がある」ということではない。発言の正否真偽を判定するのは、発言者本人ではなく（もちろん「神」や独裁者でもなく）、「自由な言論のゆきかう場」そのものであるという同意のことである。言論がそこに差し出されることによって、真偽を問われ、正否を吟味され、効果を査定される、そのような「場が存在する」ということへの信用供与抜きに「言論の自由」はありえない。

むろん、つねに正しく言論の価値を査定する「場」が存在するというのは、ある種の「空語」である。

自由な言論の場では、すべての真なる命題は必ず顕彰され、すべての偽なる命題は必ず退けられると信じるほど私は楽観的な人間ではない。しかし、現実的に楽観的でありえないということと、原理的に楽観的であらねばならないというのは次元の違う話である。

私は「言論の自由が確保されていれば、言論の価値が正しく査定される可能性はそうでない場合よりはるかに高い」ということを信じる。

そして、この信念はそのような「場」に対する敬意として表現されるほかない。

私が言葉を差し出す相手がいる。それが誰であるか私は知らない。どれほど知性的であるのか、どれほど倫理的であるのか、どれほど情緒的に成熟しているのか、私は知らない。けれども、その見知らぬ相手に私の言葉の正否真偽を査定する権利を「付託する」という保証のない信認だけが自由な言論の場を起動させる。その原理は言語や親族や貨幣のような制度が起動する場合と変わらない。まず他者への贈与があり、それから、運動が始まる。

「場の審判力」への無償の信認からしか言論の自由な往還は始まらない。

もし、言論が自由に行き交うこの場の「価値判定力」を信じなかったら、私たちは何を信じればよいのか。

「場の審判力」を信じられない人間は、「私の言うことは正しい」ということを前件にして言葉を語り出すことしかできない。「お前たちが私の言うことを否定しようと、反対しようと、それによって私の言うことの真理性は少しも揺るがない」と言わなければならない。

しかし、もしそうだとしたら、彼には「自由な言論が行き交う場」に言葉を差し出さなければならないいかなる必然性があるのだろうか。せいぜい、洗脳、宣伝、教化のために功利的に利用することしかできまい。むろん、その場合には、彼の言葉に対するすべての疑問や異議申し立ては「真理」の名において退けられる。だが、そのような言論のありようを「言論の自由」のみごとな実現であると思う人間は一人もいない。

言論の自由とは、まさにその「場の審判力」に対する信認のことだからである。言論において私たちが共有できるのは、それぞれの真理ではない（それは「それぞれの真理」であるという時点ですでに共有されていない）。私たち「それぞれの真理」の理非が判定される「共同的な場」が存在するということについての合意だけである。

そのような「場」はレディメイドのものとして、制度的にごろりとそこにある、というものではない。それは私たちが身銭を切って、額に汗して、創り出さなければならないものである。だからこそ、「日本には言論の自由がない」と書いた社会学者の言葉に私はつよい違和感を覚えたのである。「言論の自由」とは「場の審判力に対する信認」のことであり、「私は私が今発している当の言葉の正否真偽を査定する場の審判力を信じる」という遂行的な「誓い」の言葉を通じてしか実現しない。そのような場は「存在するか、しないか」という事実認知的なレベルではなく、そのような場を「存在させるか、させないか」という遂行的なレベルに出来するのである。「場への信認」は私が今現に言葉を差し出している当の相手の知性と倫理性に対する敬意を通じて、今この場で構築される他ないのである。「言論の自由」はどこかにかたちある制度として存在しているわけではない。そうではなくて、今ここで、私たちが言葉を発する当のその瞬間に私たちが「身銭を切って」成就しつつあるものなのである。

むろん、私の差し出した言説が「偽」の判定を受けて退けられる可能性はつねにある。だから、私は私の主張が相当数の人にとって「耐え難いもの」であると思われる場合には(例えば私が今主張していることは「理解し難い」ことの一つである)、できる限り論理的に、情理を尽くして、理解を得られるように言葉を選ぶことにしている。

正しさを担保するのは正しさではない(それは「私は正しい。なぜなら私は正しいからだ」という原理主義的な同語反復にしか帰着しない)。正しさを担保するのは正否の判定を他者に付託できるという人間的事実である。

誤解されないように急いで付け加えるが、この付託は現に他者たちが過たず真偽正否の判定を下すという事実に基礎づけられているのではない。そうではなくて、この付託によって、真偽正否の判定を下しうるような知性と倫理性に「生き延びるチャンスを与える」ことができるという事実に基礎づけられているのである。

信認だけが、人間を信認に耐えるものにする。

そのことを私は「受信者への敬意」、「受信者への予祝」、あるいは端的にディセンシー(decency 礼儀正しさ)と呼んでいるのである。

それは「呪い」の対極にあるところのものである。

私たちは今のところ言論の自由をゆたかに享受している。けれども、この事態を「言論の自由など存在しないと言い放つ自由」や「呪いの言葉を吐く自由」に矮小化する人々が「言論の自由」の基盤を休みなく掘り崩してるということについては十分に警戒的でなければならないと私は思っている。

(ブログ２００８年６月９日)

第1章　三島由紀夫

三島由紀夫という「起源」

三島由紀夫は「三島由紀夫」というヴァーチャル・キャラクターをきわめて精密に彫琢《ちょくたく》したことで作家として奇跡的な成功を収めた。

もちろん、どんな作家も、程度の差はあれ、謎めいた「虚像」を読者の前に掲げることでその作品の魅力を上積みしている。別に作家自身が仕掛けなくても、読者や批評家たちが進んで「虚像」を作り込んでくれる。それは作家が凡庸で世俗的な人物であるよりミステリアスな存在である方が読者の快楽が強化されるからである。作家にいくつもの相貌があり、いくつもの地層があることを私たちは読者として素朴に願う。だから批評家たちの主務は「この作家は諸君の知らない一面を隠し持ち、諸君が気づかぬ屈託や欲望を抱え込み、諸君が見落としているメッセージをひそかに発信している」という仮説を提示することになるのである。それは「謎解き」というよりはむしろ「謎をふやす」ことに等しい。批評家の仕事は実はそれなのである。

それが作品の魅力を増し、読者を引き寄せ、出版社の売り上げに結びつく限り、作家と批評家はある種の「共犯」関係にあると言ってよい。

三島由紀夫の独自性はそのような共犯関係を峻拒したことにある。三島由紀夫は批評家や読者によって「謎解き」をされることも、作家の許可なしに勝手に「謎を加算されること」も、どちらも拒絶した。その拒絶の仕方はまったく独特のものだった。

彼は自分にまつわるすべての「謎」を最初から自作したのである。これから先、彼の死後も、自分に関して「解かれたり、付加されたりする」であろうすべての「謎」を批評家に先立って網羅的にカタログ化し、それを「決定版」として残そうとしたのである。

よくこんな不思議なことを思いつくものである。それは三島の作家的矜持《きょうじ》のなせるわざであったと同時に彼の超絶的な知性が切望したものだったと思う。「そのようなことをなしうる作家は文学史上私以外にいない」という圧倒的な自負が三島由紀夫を「三島由紀夫を造形する作業」に駆り立てたのだ。

『仮面の告白』について三島自身はこう書いて、自らのテクスト戦略を明かしてみせた。

「多くの作家が、それぞれ彼自身の『若き日の藝術家の自畫像』を書いた。私がこの小説を書かうとしたのは、その反對の欲求からである。この小説では、『書く人』としての私が完全に捨象される。作家は作品に登場しない。しかしここに書かれたやうな生活は、藝術の支柱がなかったら、またたくひまに崩壊する性質のものである。従ってこの小説の中の凡てが事實に基づいてゐるとしても、藝術家としての生活が書かれてゐない以上、すべては完全な仮構であり、存在しえないものである。私は完全な告白のフィクションを創らうと考へた。」（「『仮面の告白』ノート」）

「『書く人』としての私」とは実在の平岡公威のことである。彼はそれが「完全に捨象される」ような私小説を書くことで、その小説の作家として作品のあとに登場してくる三島由紀夫という、「完全な仮構」「存在しえないもの」を虚空のうちに造形したのである。

わかりにくい話で申し訳がないが、そんな変なことを考えて実践した作家は三島以前にも以後にもいないのだから、話がわかりにくくなるのは仕方がない。

作家は作品の前にいるのではなく、作品の後に、事後的に、仮構された起源としてはじめて登場してくるという知見自体は三島の創見ではない。モーリス・ブランショはこう書いている。「作家はその作品によってはじめて自己を見出し、自己を実現する。作品以前に作家は自分が誰であるかを知らないばかり、存在しさえしないのだ。彼は作品に基づいてしか存在しない。」（『文学と死ぬ権利』）

三島由紀夫はその作品が書かれる前には存在しなかった。平岡公威は三島由紀夫に命を吹き込み、三島由紀夫という作家に「作品の起源」の座を譲るという仕方で姿を消した。後に残されたのは三島由紀夫という「あたかも全作品の創造主であるかのように仮構された被造物」である。三島由紀夫についてのすべての「謎」もまた「三島由紀夫の謎」として計画的に製作されたものなのである。作品だけでなく、彼が造型した肉体にも、写真や映像にも、政治的行動にも、三島由紀夫の日常生活の挙措のすべてに、目を凝らして見れば「製造元・三島由紀夫　不許複製」という刻印が押されている。それはもはや「書く人」のいない完全な虚構であり、それゆえ完全な芸術だったのである。

だから、三島由紀夫の全生涯をいくつかの特権的な図像的主題に凝集させてバレエ作品に仕上げるというモーリス・ベジャールの仕事も、三島の生涯をいくつかの特徴的な音楽的主題にとりまとめるという黛敏郎の仕事も、二人のクリエイターに「これは三島という巨大な存在を切り縮めることにはならないだろうか？」という不安をもたらすことはなかったと思う。むしろ、これは二人にとって心楽しい作業だったはずである。それは「三島由紀夫という主題」を選定して、いくつかの特権的な主題や言葉や図像にとりまとめ、「これが三島由紀夫だ　決定版」カタログをあらかじめ作り置きしておいたのは作家自身だったからである。

ベジャールも黛も、「三島が作り置きした三島由紀夫についての物語」に忠実に準拠してそれぞれの作品を創り上げた。この仕事は「死せる三島と共同作業をしている」という高揚感を彼らにもたらしたはずである。そして、それこそが三島由紀夫からの後世への気前の良い贈り物に他ならなかったのである。

モーリス・ベジャールはみずから解題して、「M」は「謎（mystère）のM」だと語った。「Mが何を意味するかは誰も知りません。ですから、ひとりひとりの観客は物語の意味を、自分にとっての神話（mythologie）を自分自身で見出さなければなりません。」

ベジャールはにこやかにこう語った。このような言葉は「『M』を見た観客たちは物語の意味を、自分にとっての神話を必ず見出し得るであろう」という自信なしには出てこない。ベジャールが自信を持っているのは、自分が独特の三島解釈を下したわけではなく、三島自身が手ずから創り上げた「三島解釈」に忠実に従って振り付けたことに確信があるからである。そうである以上、仮に三島由紀夫が冥界から甦ってこの舞台を見ても、きっと深く満足して破顔一笑するに違いないという自信がベジャールにはあった。

死んだあとでさえ、三島由紀夫については、誰にも謎解きすることも、謎を付加することも許さない。その死せる作家の強烈な意志がこの舞台をすみずみまで貫いている。そのような法外な意志を死後半世紀のちにまで貫きとおすことのできた作家を私は文学史上三島由紀夫の他に知らない。

（「モーリス・ベジャール『Ｍ』東京公演公式パンフレット２０２０年９月24日）

三島由紀夫対東大全共闘から50年

三島由紀夫が死んで2020年11月で50年になる。死の前年、1969年の5月に三島は東大の駒場キャンパスの900番教室で単身東大全共闘との「討論」に臨んだ。逸失していたと思われていたその時の映像が最近TBSの倉庫から発見された。それを再編集して、関係者たちのコメントを付したものが劇場公開されることになった。

69年の5月に私はお茶の水の予備校に通っていた。「三島が駒場に乗り込んだ」ということは予備校でもすぐに話題になった。一月後に新潮社から出た討論本をむさぼるように読み「君たちが一言『天皇』と言えば、私は諸君と共闘する用意がある」という三島の驚くべき発言はそこで知った。でも、18歳の私にはその三島の真意が奈辺にあるのかがわからなかった。

それからずいぶん経って、日本未公開のポール・シュレイダーの『ミシマ』を観た。映画のクライマックスは駒場での東大全共闘との討論の場面だった。緒形拳演じる三島は黒いポロシャツを着て、ひっきりなしに煙草をふかしながら、大声で笑っていた。どうしてこんなに作為的なほど笑うのか、映画を観ているときにはよく意味が分からなかった。

実際の映像でも三島はよく笑っていた。そしてなぜか終始上機嫌だった。学生たちのふっかける衒学的な、あるいは支離滅裂な議論をまっすぐに受け止めて、一つ一つ丁寧に答えようとしていた。言葉尻をとらえて、論理矛盾を衝いたり、無知を論《あげつら》ったりすることを三島は最後までしていない。三島の雄弁術をもってすればできたはずのことを三島はずっと自制していた。そのことに途中で気がついた。学生たちは三島を「論破」するつもりで招いたのかも知れないが、三島にとってこれは「論争」ではなかった。

なぜ千人の過激派学生という「敵」を前にして三島由紀夫があれほど上機嫌だったのか。それを考えているうちに、以前に自衛隊の人から聞いた話を思い出した。

三島は楯の会の若者を引き連れて何度か陸上自衛隊に体験入隊している。自衛隊上層部にも三島の「ファン」は多かった。そして、実際に酔余の勢いに「三島さんが立つ時は、われわれも立ちます」と口走った軽率な幹部がいたそうである。三島の国士ぶりへの敬意を表したつもりだったのだろうが、三島はそれを本気にした……というのがその陸自元幹部の話だった。

たしかにそういうことがあってもおかしくはない。

自衛隊の蜂起の可能性という補助線を引くと、駒場での三島の上機嫌ぶりの理由がわかる。

彼は近い未来に楯の会によるクーデタを計画していた。そして、それには陸自の一部が呼応する（と三島は信じていた）。

もちろん単発の、計画性のないクーデタだから、破綻することは眼に見えている。三島はその時は死ぬつもりでいたのだと思う。けれども、三島たちの蹶起《けっき》は栄華の夢に耽《ふけ》っている日本国民の心胆を寒からしめるだろう。それくらいの衝撃は与えられるはずだ。

そして、三島はそのクーデタに加わる同志を「リクルート」するために東大に乗り込んできたのである。そう考えると、この時の三島の学生たちに対する過剰なまでにフレンドリーな態度の底意がわかる。事実、三島はこの討論本の「あとがき」にこう書いている。

「私の考へる革新とは、徹底的な論理性を政治に対して厳しく要求すると共に、民族的心性（ゲミュート）の非論理性非合理性は文化の母胎であるから、（……）この非論理性非合理性の源泉を、天皇概念に集中することであった。」

三島は、全共闘の学生たちのうちには、「徹底的な論理性」と「民族的心性の非論理性・非合理性」を併せ持った「革命戦士」が10人、せめて5人はいるのではないか、そう思ったのである。そして、その selected few に向かって三島は語りかけた。

だから、この時の三島の目標は「この人となら一緒に死んでもいい」という欲望を学生たちの間にかき立てることだった。千人の「敵」の前に、鷹揚として、笑顔を絶やさず、胆力とユーモアと、深い包容力を持つ政治的カリスマとして登場すること、それが三島の駒場での一世一代のミッションだった。

そういう仮説に基づいて観るとまことに味わい深い一作である。

（山形新聞「直言」２０２０年2月4日）

沈黙する知性

以前に「日本の反知性主義」という本を出したときに集中砲火的な批判を浴びたことがある。とりわけ私が「反知性主義」という語を一意的に定義していないという点を咎められた。キーワードを一意的に定義しないままで恣意的なラベル貼りをするようなふるまいこそ「反知性的」ではないか、と。

申し訳ないけれど、私は「キーワードを一意的に定義してから話を始めよ」というタイプのクレームには原則的に取り合わないことにしている。

というのは、私たちがそれなりに真剣になって議論しているとき、そこで行き交っているキーワードの理解は論者全員において一致していないのがふつうだからである。というか、その文字列を目にしたときに、それについて他の誰も言っていないことをつい言いたくなるというのがキーワードの生成的な機能なのである。

だとすれば、「その語について、全員が同意する一意的定義をまず示せ」と要求するのは無理筋である。これから長い時間をかけて「全員とは言わぬまでも、そこそこの数の読者たちに同意を取り付けられそうな概念規定をこれからしようと思う」と言っている人間に「まず全員の一致を取り付けろ」というのは、それは「話を始める前に、話を終えておけ」というようなものである。

そもそも重要な論件については、私たちはだいたい自分がこれから何を話すことになるのかわからないままに話し始め、話し終わった時に自分が何を考えていたのかを回顧的に知るのである。それを「けしからん」と言われても困る。創発的なアイディアというのは、そういうふうに生まれてくるものなのだから、仕方がない。

「反知性主義」という文字列に実に多くの人が過敏に反応して、それぞれの思いを語ってくれた。これはこのキーワードの「手柄」だったと思う。私自身もこの語に個人的な定義を与えようと試みたけれども、暫定的なものしか思いつかなかったし、私自身それに納得したわけではない。そして、本を編み終わった後に、「反知性主義」という概念は一意的な定義を与えて「けりをつける」よりも「答えの出ないオープン・クエスチョン」のままにしておく方が知的に生産的だろうと思った。

今回この対談に編集者の井之上君が「沈黙する知性」というタイトルをつけてくれたので、

ることにした。

「知性」とは何のことなのか、それについてもう一度「オープン・クエスチョン」を開いてみ

批判の言葉を私に向けて投じた人たちの多くが「お前は私たちのことを『反知性主義者』だと思っていて、ラベル貼りをしているだろう」という先取りされた被害者意識を漏出させていた。ということは、「反知性主義者」というラベルは端的に「不名誉なこと」と観念されていたということである。その点については異論の余地がないという前提から人々は話を始めていた（実は私もそうだった）。でも、ほんとうにそんな前提を採用してよろしいのか。それとは違う考え方もあるのではないか。

そう思ったのは、三島由紀夫が自らを「反知性主義者」だと名乗っていた一文を読んだからである。

1969年5月に東大で三島由紀夫と東大全共闘との討論の場が持たれた。今から半世紀前のことである。奇しくも最近、その時の映像資料が発掘された。来年は三島由紀夫死後半世紀に当たる。おそらくいろいろなかたちで三島由紀夫論が語られることになるのだろうが、私にもその討論の歴史的意義についてコメントを求められた。改めて討論の記録を読み返して、そこに「反知性主義」の言葉を見出して一驚を喫した。私はこんな大事なことを読み落としてい

たのである。
三島は討論の冒頭でこう宣言していた。
「私は今までどうしても日本の知識人というものが、思想というものに力があって、知識というものに力があって、それだけで人間の上に君臨しているという形が嫌いで嫌いでたまらなかった。（……）これは自分に知識や思想がないせいかもしれないが、とにかく東大という学校全体に私はいつもそういうにおいを嗅ぎつけていたから、全学連の諸君がやったことも、全部は肯定しないけれども、ある日本の大正教養主義からきた知識人の自惚《うぬぼ》れというものの鼻を叩き割ったという功績は絶対に認めます。（……）私はそういう反知性主義というものが実際知性の極致からくるものであるか、あるいは一番低い知性からくるものであるか、この辺がまだよくわからない。（……）もし丸山眞男先生が自ら肌ぬぎになって反知性主義を唱えれば、これは世間を納得させるんでしょうけれども、丸山先生はいつまでたっても知性主義の立場にたっていらっしゃるので、殴られちゃった。そして反知性主義というものは一体人間の精神のどういうところから出てきて、どういう人間が反知性主義というものの本当の資格者であるのか、これが私には久しい間疑問でありました。」（三島由紀夫・東大全共闘、『美と共同体と東大闘争』、角川文庫、２０００年、14―15頁）
ここで三島は東大全共闘と自分のどちらが「反知性主義の有資格者」であるかを挑発的に問

いかけていた。全共闘運動参加者たちのその後の体制内部的なキャリア形成と、三島の壮絶な死に方の両方を知っている後世の人から見ると、本当の意味で「知識人の自惚れ」の鼻を叩き割ったのはどちらであるか、答えは明らかだ。

三島の晩年における喫緊の思想的課題は「日本の歴史と伝統に根ざし日本人の深層意識に根ざした革命理念を真に把握すること」にあった。（同書、142頁）

「要約すれば、私の考へる革新とは、徹底的な論理性を政治に対して厳しく要求すると共に、民族的心性（ゲミュート）の非論理性非合理性は文化の母胎であるから、（……）この非論理性非合理性の源泉を、天皇概念に集中することであった。かくて、国家におけるロゴスとエトスは<< はっきり両分され、後者すなはち文化的概念としての天皇が、革新の原理になるのである」（同書、142頁）

三島が標榜した反知性主義者とは、徹底的な論理性・合理性とおなじく徹底的な非論理性・非合理性を同時に包摂することのできる、豊かな生命力の横溢した、血と肉を具えた人間存在のありようを指していた。この「反知性主義者」の相貌は私は魅力的に思えた。

気づいた人もいると思うが、このアイディアは部分的にはニーチェの「貴族」概念に由来する。

ニーチェの「貴族」は「おのれをおのれの力で根拠づけることのできる人間」という仮説で

ある。「貴族」は「外界を必要とせず」、「行動を起こすために外的刺激を必要としない」。「貴族」は無思慮に、直截《ちょくせつ》に、自然発生的に、彼自身の「真の内部」からこみあげる衝動に身を任せて行動する。

「騎士的・貴族的な価値判断の前提をなすものは、力強い肉体、若々しい、豊かな、泡立ち溢れるばかりの健康、並びにそれを保持するために必要な種々の条件、すなわち戦争・冒険・狩猟・舞踏・闘技、そのほか一般に強い自由な快活な活動をふくむすべてのものである。（……）すべての貴族道徳は勝ち誇った自己肯定から生ずる。」（ニーチェ、『道徳の系譜』、ニーチェ全集、第10巻、信太正三訳、31頁）

ニーチェが具体的にその実例として名を挙げたのは、「ローマの、アラビアの、ゲルマンの、日本の貴族、ホメーロスの英雄、スカンジナビアの海賊」たちである。彼らの共通性は「通ってきたすべての足跡に『蛮人』の概念を遺した」（同書、42頁）ことであった。この「蛮人」たちは「危険に向かって」「敵に向かって」「無分別に突進」し、「憤怒・愛・畏敬・感謝・復讐の熱狂的な激発」によって、おのれの同類を認知したのである。

ニーチェ的「貴族」は間違いなくすぐれて「反知性主義」的な生き物である。

だが、ニーチェがその修辞的力量を駆使して描いた「貴族」礼賛の言葉がその数十年後にナチスの「ゲルマン民族」礼賛プロパガンダにほとんどそのまま引用されたことを私たちは知っている。たしかに彼らは主観的には愉快な「蛮人」たちであったかも知れないが、彼らに「猿」とか「畜群」とラベルを貼られて、排除され、監禁され、殺されたものたちにとっては非道な屠殺者以外のものではなかった。

三島はニーチェの轍《てつ》を踏む気はなかった。だから、「高貴な蛮人」の「高貴」性を担保するものとして、単なる「血統についての自己申告」以上のものを求めた。そして、「天皇」という概念に出会った。

三島の反知性主義の独創性は「天皇」を理性と非理性の交点に置いた工夫に存する。このようなアイディアは「知性の極致」を経由したのちにあえて反知性を引き受ける覚悟なしには語り得ないものである。

三島がめざしたのは「天皇」という政治的概念の恣意的な改鋳《かいちゅう》ではないし、むろんその一意的定義などではなかった。そうではなくて、三島はこの文字列を目にし、耳にすると、人々が「それまで一度も口にしなかった言葉」を発するようになるという遂行的なはたらきに着目したのである。だから、三島はこの討論のときに、その後ひろく人口に膾炙することになった、驚愕すべき発言をなした。

「これはまじめに言うんだけれども、たとえば安田講堂で全学連の諸君がたてこもった時に、天皇という言葉を一言彼等が言えば、私は喜んで一緒にとじこもったであろうし、喜んで一緒

にやったと思う。」（同書、64頁）

東大全共闘の政治的語彙の中に「天皇」という語は含まれていなかった。それはこの討論のあった1年後に同じキャンパスの空気を吸ったものとして知っている。だが、この日の三島と全共闘の討論はひたすら天皇をめぐって展開した。だから、討論を終えて最後の一言を求められて三島は満足げにこう言ったのである。

「今、天皇ということを口にしただけで共闘すると言った。これは言霊《ことだま》というものの働きだと思うのですね。それでなければ、天皇ということを口にすることも穢《けが》らわしかったような人が、この二時間半のシンポジウムの間に、あれだけ大勢の人間がたとえ悪口にしろ、天皇なんて口から言ったはずがない。言葉は言葉を呼んで、翼をもってこの部屋を飛び廻ったんです。この言葉がどっかにどんなふうに残るか知りませんが、私がその言葉を、言霊をとにかくここに残して私は去っていきます。」（同書、119頁）

三島は過激派学生たちに「天皇」について合意形成することを求めたのではない。「一言言えば」よいと言ったのである。これは言葉に対する構えとして、非常に大切なことだと私は思う。「一言」言えば、「言葉は言葉を呼んで、翼をもって飛び廻る」からである。

三島は東大の学生たちに向かって、「天皇」の定義を共有することを求めたわけではないし、それに基いて政治綱領を取りまとめたり、政治組織を立ち上げることを目指したわけではさらにない。「天皇」という言葉のもたらす運動性、開放性、豊穣性に点火することを三島は何よりも重く見たのである。その言葉がトリガーになって、人々の口から「これまで一度も口にしたことのない言葉」が次々と噴き出てくるのであれば、自分はその場を共にしたいと言ったのである。新しい思念、新しい感情が生成する場を共にしたいと言ったのである。

　もし知識や思想そのものよりも、それを生気づける「力」を重く見る態度のことを三島が「反知性主義」と呼んでいるのだとしたら、私はそのような反知性主義に同意の一票を投じたいと思う。私自身「反知性主義者」を名乗ってもよい。

　名称はどうでもよい。

　知性とはかたちあるものではない。かたちをあらしめるもののことだ。形成された「もの」ではなく、形成する「力」である。

　もし現代日本が多くの人にとって「知性が沈黙している時代」であるかのように感じられるのだとしたら、それは知識や情報が足りないからではない。言葉そのものはうんざりするほど大量に行き交っている。しかし、それを生気づける「力」がない。立場を異にする人々、思いを異にする人々が、にもかかわらず「一緒にいる」ことのできる場を立ち上げることが「言葉の力」だという三島の洞察が理解されていない。

この序文を書いている時、「表現の自由」ということが繰り返しメディアの論点に取り上げられた。さまざまな意見が述べられたけれど、「表現の自由とはさらなる表現の豊かさ、多様性、開放性を目指す遂行的な働きのことである」という知見を語った人は私の知る限りいなかった。

けれども、「表現の自由」というのは、静止的、固定的な原則ではあるまい。表現の自由はつねにさらなる表現の自由を志向するものでなければならない。表現の可能性を押し広げ、多種多様な作品を生み出す生成力によって生気づけられているからこそ「表現の自由」は尊重されなければならないのである。それは死文化したルールではなく、今ここで生き生きと活動しているプロセスの名なのである。

ヘイトスピーチをする人たちもまた「表現の自由」を口にする。

彼らが自分の思いを語ること止める権利は私にはない。だが、彼らが「表現の自由」の名において語る権利は認めない。その看板だけは外して欲しい。「人間には邪悪になる権利、愚鈍になる権利がある」という看板を掲げてそうするのなら構わない。だが、他の人に向かって「ここから出て行け」とか「お前は黙れ」という言葉を「表現の自由」の名の下で口にすることは許されない。それは「さらなる表現の自由」を志向していないからである。一人でも多くの人に「一緒にいる」場を立ち上げることを目指していないからである。

長く書き過ぎたので、もう終わりにする。

この対談を読む方、特に若い方に気づいて欲しいのは、平川君と私がほぼシステマティックに相手の言明に「まず同意する」というところから自説を語り始めている点である（時々「う〜ん、そうかな……」という懐疑を口にすることもあるが、それはかなり例外的なケースである）。

そうするのは「まず異議を唱える」よりも「まず同意する」ところから話を始めた方が、たいていの場合、話が面白くなるからである。

まず同意する。自分ではそんなこと考えたことがなかった話でも、まず同意する。そうすると「同意してしまった以上、その根拠を示さないと」ということになる。そうして自分の記憶のアーカイブの中をスキャンすると、そこに「ひっかかるもの」がみつかる。それが果たして「同意したことの根拠」になるかどうかはわからないけれど、私が「同意した」せいで記憶の奥底から浮かび上がってきたものであることは間違いない。だから、とりあえずそれを平川君相手にぼそぼそと話し始める。

すると、たしかに自分の中に淵源を持つのだが、「おお、俺はこんなことを考えていたのか……」と自分でもはじめて知る「自分の考え」が口を衝いて出てくるのである。

私はそのようにして、平川君との対話を通じて「自分の中から湧き出してきたのだが、自分でもはじめて聴く言葉」と繰り返し出会ってきた。そうやって私のアイディアの「レパートリー」を豊かなものにしてくれたことについて、平川君に心から感謝したい。

若い人たち、これから「対話の作法」を身につけることになる人たちには、とりあえずそれだけ言っておきたいと思う。

まず同意する。

よろしいだろうか。私のこの忠告の当否について思量するときも、「まず同意する」ところから始めて欲しいと思う。そして、「そういえばこんな話を思い出した」と続けて頂きたい。

That reminds me of a story

知性はこの言葉とともに起動する。

グレゴリー・ベイトソンが『精神と自然』にそう書いている。半世紀ほど前、この言葉を読んだ時の心の震えを今も覚えている。というのは、そのフレーズを読んだとたんに「そういえば……」という話が堰を切ったように私の中に湧き上がってきたからである。

（『沈黙する知性』（平川克美との共著、夜間飛行）あとがき２０１９年9月13日）

政治の季節

ある時代が政治的であるということは、人々がかまびすしくおのれの政治的意見を語り、政治的組織に属し、運動をするという外形的な兆候を指すのではない。例えば、今の日本でもメディアには政治を語る言説があふれているし、党派的にふるまう人はそこらに数えきれないほど存在するけれども、私は現代日本人を政治的とは見なさない。現代日本は「非政治的な季節」のうちにあると思っている。

それは「政治的」であるというのは、自分個人の生き方が国の運命とリンクしているような「気がする」ということだからである。

個人的な定義なので、別に一般性を要求しているわけではないけれども、私はそう思っている。

現代日本人は政治をうるさく語るけれども、自分の個人の生き方が国の運命とリンクしているとは感じていない。

アンドレ・ブルトンがどこかで「世界を変えようと思ったら、まず自分の生活を変えたまえ」というようなことを書いていた。世界と自分の日々の生活の間に相関があるという直感を持てなければ、人間は「革命」など目指しはしない、と。

そう書いてから、ほんとうにブルトンがそんなことを言ったのかどうか気になって『引用辞典』というものを引いて調べてみた（そういう便利なものがこの世にはある）。実際はこうだった。

「『世界を変える』とマルクスは言った。『生活を変える』とランボーは言った。この二つのスローガンはわれわれにとっては一つのものだ。」

名言だと思う。こういうふうに考える人間のことを「政治的」と呼ぶべきだと私は思う。

もちろん個人の生活と世界の運命の間に相関があることは誰だって知っている。世界が大恐慌になれば、おのれの生計は立ち行かない。世界がパンデミックになれば、自分の健康も保ちがたい。でも、それはあくまで世界の運命が自己の運命に影響を与えるという一方通行の関係である。

「政治の季節」ではこれが逆転する。

自分のただ一言、ただ一つの行為によって世界が変わることがあり得るという「気分」が支配的になるのである。

自分の魂を清めることが世界を浄化するための最初の一歩であるとか、自分がここで勇気をふるって立ち上がることを止めたら世界はその倫理的価値を減じるだろうとか、「ぼくがたふれたらひとつの直接性がたふれる　もたれあうことをきらった反抗がたふれる」（吉本隆明）とか、そういうふうに人々が個人の歴史に及ぼす影響力を過剰に意識するようになることが「政治の季節」の特徴である。

だから、「政治の季節」の人々は次のように推論することになる。

1・自分のような人間はこの世に二人といない。

2・この世に自分が果たすべき仕事、自分以外の誰によっても代替し得ないようなミッションがあるはずである。

3・自分がそのミッションを果たさなければ、世界はそれが「あるべき姿」とは違うものになる。

こういう考え方をすることは決して悪いことではない。それは若者たちに自分の存在根拠についての確信を与えるし、成熟への強い動機づけを提供する。

その逆を考えればわかる。

1・この世には私のような人間は掃いて捨てるほどいる。

2・私が果たさなければならないミッションなど存在しないし、私の到来を待望している人たちもいない。

3・だから、私が何をしようとしまいと、世界は少しも変わらない。

このように推論する人のことを「非政治的な人」と私は呼ぶ。

自分が何をしようとしまいと、世界は少しも変わらない。だから、私はやりたいことをやる。人を突き飛ばそうと、おしのけようと、傷つけようと、汚そうと、奪おうと、それによってシステム全体にはさしたる変化は起きない。そういうふうに考えることが「合理的」で「クール」で「知的だ」と思っている人のことを「非政治的」と私は呼ぶ。現代日本にはこういう人たちがマジョリティを占めている。だから、現代日本は「非政治的な季節」のうちにいると書いたのである。

政治的な季節の若者たちは時々ずいぶんひどい勘違いをしたけれども、「自分には果たすべき使命がある」と思い込んでいたせいで、総じて自分の存在理由については楽観的であった。その点では非政治的な時代の若者たちよりもずいぶん幸福だったのではないかと思う。

三島由紀夫の生き方と死に方が左翼右翼双方の政治少年たちに強い衝撃をもたらしたのは、それが実に「政治的」だったからである。

三島は単独者であった。彼のように思考し、彼のように行動する人間は彼の他にはいなかった。けれども、彼は自分が単独者であることを少しも気にかけなかった。それは彼が「三島由紀夫以外の誰によっても代替し得ないミッション」をすでに見出しており、それをどのようなかたちであれ実践する決意を持っていたからである。自分の個人的実践が日本の国のかたちを変え、歴史の歯車を動かすことができると信じていたからである。そして、実際に（三島が期待していた通りかどうかはわからないけれど）、彼の生き方と死に方によって、日本と日本人は不可逆的な変化をこうむったのである。

いまは三島のような考え方をする人はきわめて少ない。けれども、時代は変わる。遠からず私たちはまた「自分には余人によっては代替し得ない使命が負託されている」と感じる若者たちの群れの登場に立ち会うことになるだろう。その気配を私は感じる。

（映画『三島由紀夫vs東大全共闘 50年目の真実』マスコミプレスシート、GAGA ２０１９年12月10日）

第2章

小津安二郎

通過儀礼としての小津映画

小津安二郎の映画を集中的に見始めたのは1975年からで、それまで小津映画は一度も見たことがなかった。

お正月に、家でごろごろしているときに、テレビで『お早よう』が放映された。例の「布地」のバックに「お早よう」というタイトルが出て、脱力系のテーマ音楽が流れたときに、とりあえずチャンネルを換えようと思った。だが、当時のテレビは手動のチャンネル式で、立ち上がってテレビのところまで行ってがちゃがちゃ操作しなければならない。起き上がってチャンネルを換えるのが面倒なくらいに怠惰な気分だったので、私は寝ころんだままぼんやり画面を見続けた。

だが、始まって数分して（いや、数秒だったかも）、これが私の想像していた「ホームドラマ」の定型とまったく異質の、ほとんど異次元のものであることに気づいた。気がつくと、私はブラウン管に顔がつくほどテレビに近づき、胸をどきどきさせ、ときどき間歇的に転げ回って笑っていた。

こんなに面白い映画を見たのは生まれてはじめてだ、と思った。その翌日から小津の映画を探して東京中の映画館を歩き回った。そして三年ほどでほぼすべての小津映画を見尽くした。

私はその頃、大学は出たけれど、定職もなく、ときどき単発のバイトをし、午後は麻雀をし、夜はジャズを聴いてお酒を飲んで日々を過ごしていた。そんな先の見えない二十代なかばの青年にとって、小津映画を観ている時間は例外的な「至福のとき」であった。小津映画はそのような非生産的な生き方のせいで赤剝けになっていた私の神経に、他の誰もしないようなしかたで「やさしく」触れたのである。

別に小津映画では非生産的な青年が肯定的に描かれていたからではない。むしろ小津映画に出て来る人々はみな勤勉であった（私が知る限りもっとも怠惰なのは『早春』の高橋貞二であるが、彼だって昼間は丸ノ内のちゃんとした会社に勤めていた）。サラリーマンもバーテンも割烹の女将もパチンコ屋の親父も、みんなそれぞれの職場できちんと仕事をしていた。小津の映画の中に「不労所得」を得ている人間はひとりも出てこない（『お早よう』の押し売りでさえ「9時5時」シフトで働いていた）。

勤労の一日を終えた人々の達成感と解放感、それは小津がもっとも愛した主題の一つだったと思う。一日の仕事を終えて、寿司屋のカウンターやトンカツ屋の座敷で「今日最初のビール」を美味しそうに飲み干す場面を私たちはほぼすべての小津映画に見出す。

二十代なかばの私はそれを見て、ふと「働こう」と思った。別に誰かに急かされたわけでも、将来への不安が募ったからでもない。こんなふうに美味しいビールを飲んでみたいと思ったからである。

「大人になれよ」と小津安二郎は言う。小津の全作品にそのメッセージは伏流している。それを小津は威圧的でも教化的でもない口調で告げる。「大人は愉しいぞ」。

思えば、小津映画は私の「通過儀礼」であった。私は24歳から27にかけて、小津安二郎を集中的に見ることによって、「子ども時代」からの離陸を果たした。そのことについて小津安二郎への感謝を私は生涯忘れないだろう。

（『小津安二郎名作映画集1　東京物語』解説、小学館２０１０年12月1日）

子供はどうやって大人になるのか

小津安二郎の映画はどれも「大人」はどのような場合に、どのようにふるまうのかについての豊かな実践事例を含んでいる。小津映画は私にとって紛れもなく成熟のための「教科書」であった。私はそこから男たちの考え方、話し方、酒の頼み方、祝儀の渡し方などなどを学んだのである。

私がもっともつよい影響を受けたのは『晩春』である。二十五歳の頃に、私はこの映画をはじめて見た。それからどれほど繰り返し見たか覚えていない。そして、四十歳をいくつか過ぎた頃に、ふと気づいたら、私は海を見下ろす緑の多い街に娘と二人で暮らし、大学に行かない日は机に向かってヨーロッパの学者の書きものを読んだり訳したりし、ときどき友人たちを招いては清談しかつ痛飲し、日曜日には能楽堂に行くような中年の大学教師になっていた。私はおそらく人生のさまざまな岐路に立つ度に、選択肢のうちでより「曾宮《そのみや》教授的」なるものを選好しているうちに、今あるような人間になったのである。

もちろん私の言葉づかいも「曾宮教授的」なものになった。「曾宮教授的」というのは、「定型的」ということである。曾宮のみならず小津映画に出てくる（私がロールモデルとして見上げてきた）「大人たち」はいずれも「常套句の達人」たちであった。

『晩春』の中で曾宮（笠智衆）が紀子（原節子）に告げるもっとも決定的な言葉は次のようなものである。

「お前もいつまでもこのままじゃいられまいし。いずれはお嫁にいってもらわなきゃならないんだ。」

もう一つ、嫁入り前の最後の家族旅行の途次、曾宮と旧友小野寺（三島雅夫）と竜安寺の石庭でのやりとり。

「持つんなら、やっぱり男の子だね。女の子はつまらんよ。せっかく育てると嫁にやるんだから。行かなきゃ行かないで、心配だし。いざ行くとなると、やっぱりなんだか、つまらないよ。」

「そりゃあしょうがないさ。われわれだって育ったのを貰ったんだから。」

若い人の中には、このような言葉を「因習的である」とか「非主体的である」とか感じて、苛立つ方もおられるかも知れない。だいいち、結婚のことが話題になっているにもかかわらず、どうして誰も「愛」については語らないのか、と。

けれども、私は今でも画面からこの台詞が聞こえてくると、思わず背筋を正したいような気分になる。おそらく、ここには数万年前から営まれてきた「親族」という制度の本質についての根源的な真理が語られている。そして、そのような真理は「常套句」のかたちをとって語る以外に、個人によっては担いきれぬほどに重いのである。

もう一つだけ常套句について。

『彼岸花』は結婚披露宴の場面から始まる。来賓として祝辞を述べる平山（佐分利信）のまるで畳み込むような常套句の羅列は私にめまいに似た陶酔感を与える。もし「常套句だけで書かれた詩」というものがあったとすれば（ないが）、それはこのときの平山の祝辞を形容するのにふさわしいだろう。彼に倣って、「うたた感慨に堪えぬのであります」というフレーズをいつか私も祝辞で使ってみたいと思っているのだが果たせないでいる。成熟への道はまことに遠い。


（『小津安二郎名作映画集２　晩春』解説、小学館２０１１年１月13日）

食卓の儀礼

古い映画を見ていると、テーマとも映像の芸術性ともぜんぜん関係ないことについ眼が行ってしまう。「ああ、そうか、この頃はこんなふうだったんだ」と妙なところで驚かされることがある。『麥秋《ばくしゅう》』を見ていて思い出したこと。

その一、ちゃぶ台でご飯を食べるとき、おかずは大皿に一緒盛りで、じか箸で食べること。間宮家はもともと大和の名家で（床の間に池大雅の真筆が掛けてあるくらい）、当主（笠智衆）も大学の医学部の先生で北鎌倉の一戸建てにお住まいであるのだから、これが当時のミドルクラスのご飯の食べ方と判じてよいであろう。

紀子（原節子）が先にご飯を食べ終わって「ごちそうさま」と言いながら自分の食器を台所の流し台に置く場面がある。そのとき手にしているのはご飯茶碗と汁椀だけ。ということは、お箸はちゃぶ台上に残しているのである。推察するに、彼女は食後に使用済みの箸を箸入れにそのまま戻したのである。洗わないで。そういえば、そんな決まりだった。つまり、お箸はなかば私物であり、なかば公共財として観念されていたのである。だから、「大皿にじか箸」という現代においては非礼に類別されるマナーが咎められなかったのである。お茶碗という「私」と大皿という「公」の間を「半ば私物、半ば公共財としての箸」が行き来する。なるほど、レヴィ＝ストロースの言うように、食卓儀礼というのはみごとに体系化されたものなのである。

「ご返杯」という習慣も同じ機能を果たしている。佐竹（佐野周二）が座敷に顔を出した紀子に自分が飲み干した盃に酒を注いで「まあ、一杯」と手渡す場面がある。この「献酬」という習慣も廃れて久しい。これも盃という器の、「半ば私物、半ば公共財」というトリックスター的性格ゆえに可能だったのである。盃は二つの領域に同時に帰属することで、二人の人間を取り結び、そこに親密性を立ち上げる媒介者の役割を果たしたのである。

深い人類学的叡智を含んださまざまの食卓儀礼が「非衛生的である」とか「封建的である」とかいった底の浅い合理主義によって廃絶されたことはまことに惜しむべきことと言わねばならない。

もう一つ。テレビがない時代の「一家団欒《だんらん》」というのがどういうものだったかを思い出した。みんな、それぞれの世界に閉じこもって、じっと押し黙っていたのである。ちゃぶ台を囲んで、一家勢揃いしているのだが、あるものは新聞を読み、あるものは雑誌を読み、あるものは所在なげに紫煙をくゆらし、あるものはぼんやり中空に目を泳がせる。思えば、当時の「一家団欒」というのは当今のテレビCMにあるように、みんなが笑顔を振りまくにぎやかな祝祭的なものではなく、押し黙って、ただそこにいるだけというものであった。何も言わなくてもいい、しなくていい、「家族はただそこにいるだけでよい」という条件だったからこそ、家族たちは気楽にそこに集まり、「お茶飲む？」「ああ」というような気のない会話を交わしながら、それぞれの孤独を味わうことができたのである。

あれから60年、いろいろなものが失われた。その多くは失われたことさえ忘れられるという仕方で失われた。

（『小津安二郎名作映画集3　麥秋』解説、小学館2011年3月2日）

最後の青年とその消滅

『お茶漬の味』には鶴田浩二が演じる「ノンちゃん」という青年が出てくる。鶴田浩二はこのあとしだいに暗い地顔の俳優になってゆくけれど、小津のこの映画の中では例外的に屈託のない明るい表情を見せている。

ノンちゃんは佐竹茂吉（佐分利信）の戦死した旧友の弟である。就活中のはずなのだが、パチンコとか競輪とかラーメン屋といった新しい娯楽に精通して、茂吉や節子（津島恵子）相手に得々とその効用を説明するところを見ると、あまり真剣に職探しをしているようには見えない。

そのノンちゃんが入社試験のあとに茂吉にバーで会って、ビールを飲んでいるうちに感興湧いてドイツ語の歌を歌い出す場面がある。観客はこれで彼が旧制高校（茂吉と同郷だから、たぶん松本高校）の出身者だということを察知する。

卒業生はそのまま帝国大学に進学し、エリートになることが制度的に保証されていた時代の旧制高校生の特徴をノンちゃんはよく体現している。それは「俗情に通じているけれど、俗情に堕すことを潔しとしない」、「わざとがさつな態度をとるけれど、生来の教養と育ちの良さがついにじみ出る」といった性格特性である。その意味で、ノンちゃんは漱石の『三四郎』から始まる「日本の青年」の最後の世代の一人だと言えるであろう(『陽の当たる坂道』の石原裕次郎と『乱れる』の加山雄三までなら、ぎりぎり「青年」に算入してもよいかもしれない。だが、彼らには旧制高校的な「弊衣破帽《へいいはぼう》」性はまだ残っているけれど、アカデミズムへの憧れはもうない)。

日本近代の「青年」は明治40年代に生まれ、1960年代に消滅した。私はそんなふうに思っている。漱石や鷗外が作品を通じて「あるべき青年像」をていねいに造形してみせたのは、明治の日本が世界の列強に伍すためには、「青年」的な存在が必須であると彼らが思っていたからである。だから、「青年」に対する国家的需要が消え失せたとき、「青年の物語」も消滅した。ノンちゃんは日本映画が造形したその最後の青年の一人である(青年に託された使命は「勝ち上がること」から「敗北と折り合うこと」に変わってはいたが)。

青年はある程度の社会的能力を備え、十分な市民的自由を享受しているが、まだ子どもらしい無垢な正義感と傷つきやすさを手放していない。それゆえ、彼はハードでタフな「大人の世界」と、儚《はかな》く壊れやすい「子どもの世界」に同時に共属することができる。青年はその身体をこの二つの世界の間にむりやりねじ込むことによって、冷徹なリアリズムを緩和し、子どもっぽい夢想の破片のいくつかを救い出す。現実を手触りの優しいものに変え、また夢想を現実のかたちに整える。

小津安二郎はそのような青年を好んで描いた。『彼岸花』の高橋貞二、『お早よう』の佐田啓二、『小早川家の秋』の宝田明……彼らの「頼りなさ」を小津は深く愛していたのだと思う。それはリアリストの大人と未成熟な子どもはどんな時代でもいなくなることはないが、青年はある例外的な歴史的状況の中で生まれ、それゆえ消え去った後はもう二度と戻ってこないことを小津安二郎が察知し、その消滅を哀惜していたからではないかと思うのである。

（『小津安二郎名作映画集４　お茶漬の味』解説、小学館２０１１年３月30日）

悪いおじさんたちの話

佐分利信、中村伸郎、北竜二、笠智衆が演じる旧制中学高校の同級生たちが、銀座のバーや大川べりの料亭に集まって、さまざまな「悪戯」を企てるという話型は『彼岸花』に始まって、『秋日和』、『秋刀魚の味』と繰り返される。あまり言う人はいないが、この「悪い男たち」定型を発見したことによって小津安二郎はその映画世界を完璧なものにしたと私は考えている。

男たちは小津と同年齢であり、文化的バックグラウンドを共有している。「ルナ」や「若松」は、たぶん小津自身がふだん通っていた場所を再現しているし、そこで行き交う話柄も小津自身が友人たちと交わしていた会話に近い。そういう意味で、この男たちは小津安二郎の「アルターエゴ」である。

けれども、小津の底知れなさは、この男たちを描く筆致のうちに、共感や親しみだけでなく、残酷なほどの写実が含まれていることにある。エリート教育を受け、戦争を生き延び、社会的成功を収めた男たちの、悠揚たる物腰から垣間見える「耐えがたい浮薄さ」を小津は見逃さない。

例えば、学歴についてのこだわり。

『秋日和』では、アヤ子（司葉子）の見合いの相手を物色するときに田口（中村伸郎）が言い立てる「東大の建築を出て、いま大林組」という人物紹介の異様さに私たちは胸を衝かれる（実在の会社名がストーリーと無関係に映画の中で言及された例を私は他に知らない）。間宮（佐分利信）が推す花婿候補の後藤（佐田啓二）は「早稲田の政経」であることは桑野みゆきの歌う応援歌付きで紹介される。三人の「おじさん」たちは大学時代、「本郷三丁目」の薬屋の娘秋子（原節子）に岡惚れしたというエピソードを一つ話にしている。そこから彼らが東京帝大の卒業生であることが知られる。世間話の隙間に自他の学歴にすかさず言及するのは日本の高学歴男性の通弊である。

間宮の目下のものに対する威圧的な態度も際立っている。「出かけるよ。ああ、車」「田口さん、いないの」だけで、「お願いします」も「ありがとう」もなく電話を受話器に叩きつける様子や、相手の腹具合も聞かずに昼から女性たちにオイリーな鰻を強要する間宮の横暴を小津はそのまま写し出す。

『秋日和』ではとりわけ初老の男たちの好色が副旋律として全編に絡みついている。「痒《かゆ》いところ」や「蛤《はまぐり》」や若松の女将（高橋とよ）の性生活への執拗な言及はこの「おじさん」たちの品性のレベルを露呈させる。

映画はアヤ子の結婚と秋子の再婚話を酒席の冗談に紛らわせて笑う男たちの場面から切り替わって、一人暮らしの秋子を気づかう百合子（岡田茉莉子）の短い訪問と秋子の無言のクロースアップで終わる。秋子の無表情には「耐えがたく浮薄な男たち」への絶望が刻み込まれている。だが、小津はその「絶望される男」の側にあえて踏みとどまる。小津安二郎は「絶望される男たち」の一人という苦い立ち位置から映画を撮っているのである。

大人だと思う。

（『小津安二郎名作映画集5　秋日和』解説、小学館2011年5月1日）

少年の図像学

女子大の教師をしていると、学生から結婚についてよく訊ねられる。

「どういう人が夫としてふさわしいのでしょう。」

この問いに私はいつもこう答えている。「男なんて、結婚してしまえば、みんな同じだよ。」

男の社会的成熟度は「社会」において（つまり男が背広を着ているときには）際だつが、家に戻って服を脱いで下着姿になってしまうと、「できる男」も「できない男」も言うことやることにさしたる差はない。結婚した後、女性が見せつけられるのは男なら誰でも違いのないところ、端的に言えば男のいちばん無防備で、幼児的な部分ばかりである。だから、「結婚してしまえば、みんな同じ」なのである。

小津安二郎は成熟と幼児性が矛盾なく同居しているそんな男たちのありようを残酷なほどに写実的に描いた。それは「そのとき何を着ているか」によって男たちのふるまいや物言いや判断さえ変わるというかたちで映像的に示されている。

男たちが服を脱ぐ場面を私たちは戦後小津映画のほとんどすべてで見ることができる。玄関で帽子を脱ぎ、鞄を妻や使用人に渡し、背広を脱ぎ棄て、ポケットの中のものをちゃぶ台に落とし、ネクタイをゆるめ、ズボンとシャツを放り投げ、最後に下着だけになる。そのプロセスで男は「大人」から「幼児」に退行してゆく。仕立ての良い背広姿から、ステテコ一丁になるにつれ、男たちは感情の抑制力を失って、不機嫌になり、わがままになり、言うことが非論理的になる。『彼岸花』では平山（佐分利信）が妻（田中絹代）の前で幼児性を剥き出しにするのは、節子（有馬稲子）と谷口（佐田啓二）との結婚に「おれは反対だね」と不貞腐れるときであるが、服を脱ぐにつれ抑制を失ってゆく平山の変化を小津はほとんどコミカルに描いている。

一方、平山が長者の風を示すのは、結婚式で鮮やかなスピーチをするモーニング姿のときと、親友の娘（久我美子）に人の道を説くときである（このときは室内であるにもかかわらず帽子まで着用している）。

フォーマルウェアでは大人、下着姿になると子どもという平山には、だがその「中間」状態が存在する。幸子（山本富士子）を日曜の自宅宅にノーネクタイのカーディガン姿で迎えるとき、クラブハウスでゴルフウェアの親友河合（中村伸郎）と娘の縁談についての打ち合わせをするとき、中学の同級生（笠智衆）らと浴衣姿で「青葉茂れる桜井の」を歌うとき、平山は「大人」

と「幼児」の中間、つまり「少年」のポジションにいる。「少年」であるときの男の特徴は「はにかみ」と「とまどい」と「率直」である。大人と幼児の中間状態にあるとき、男たちは奇跡的にその性格のいちばん良質な部分を垣間見せる。小津は男たちの幼児性に対しては残酷なほど写実的だったが、男たちの少年性については、これを少しだけ浪漫的に脚色した。

映画のラストで平山は長女夫妻と和解を決意する。そのとき裾の詰まった「旅館の浴衣」を着せられている平山は、原っぱで泥んこになって遊んでいた彼の少年時代のシルエットを一瞬再現しているかのようである。

（『小津安二郎名作映画集６　彼岸花』解説、小学館２０１１年５月31日）

戦争について語らない男の話

小津安二郎は軍人が嫌いだった。戦争末期、参謀本部に戦意高揚映画の制作を命じられた小津はシンガポールに派遣されたが、何も撮らず、ひたすら押収したハリウッド映画を見続けたという。戦中の『父ありき』、『戸田家の兄妹』にも、小津は軍人を通行人としてさえ登場させなかった。

逆に、戦後の作品では戦争の影が不吉な鳥のように画面の隅を横切ることがある。『長屋紳士録』や『風の中の牝鶏』のように直接的な戦争を扱ったものはむしろ例外的で、平穏な生活者たちの退屈な日常に不意に戦争の影が切り込む、という描き方を小津は選んだ。

遺作となった『秋刀魚の味』は1962年の作品だから、敗戦からすでに17年が経過している。日本は復興を遂げ、男たちは仕立ての良い背広を着て、外車に乗り、銀座の割烹で夜ごと飽きることなく美酒を酌み交わし、娘の縁談話に興じている。けれども、娘を嫁に出したあとに一人残される老父の孤独に話題が及ぶたびに、戦争のイメージが一瞬だけ画面を横切る。瓢簞《ひょうたん》（東野英治郎）が老嬢（杉村春子）と暮らすみすぼらしい店は軍隊の補給基地のようなドラム缶と有刺鉄線で囲われた泥濘《でいねい》の路地裏にある。そこで娘を嫁がせる機会を逸した瓢簞の前に立ったとき、平山（笠智衆）は、彼の職業軍人という過去を思い出させる坂本（加東大介）に出会い、十数年忘れていた「艦長」という官名で呼ばれる。

坂本に誘われて行ったバーで、軍艦マーチが鳴り響く中で、平山は（おそらくは戦災で）失った妻に相貌の似た女（岸田今日子）に出会い、喪失感を新たにする。

物語の終わり近く、娘の結婚式を終えて木偶《でく》人形のように虚脱した平山はふたたびそのバーを訪れる。「今日はどちらのお帰り、お葬式ですか？」と女は平山の喪失感を狙い撃ちするような間違いを犯す。それに平山は「まあ、そんなもんだよ」と笑顔で応じる。そして、また軍艦マーチが鳴り響くと、カウンターにいた客の一人（須賀不二男）が開戦の日のアナウンサーの声色を真似て「大本営発表」とつぶやく。すると隣で飲んでいた別のサラリーマンが「帝国海軍は今暁《こんぎょう》五時三十分、南鳥島東方海上において」と続ける。それを遮って須賀不二男は「負けました」と言う。「そうです。負けました」ともう一人が応じる。二人はそのまま正面に向き直って、また見知らぬ同士のように穏やかな顔でウイスキーのグラスを啜る。この場面には何か有無を言わせぬ迫力がある。

かつて兵士だった男たちの「戦争のとき、私は誰にも話せない経験をした」という舌のしびれと、家族が成長して立ち去り、最後にひとり残される老父の「人間は結局ひとりぼっちだ」という独白は対旋律のように絡み合っている。

誰にも話すことのできない経験を持ってしまったことを思い出すたびに人はおのれの絶対的な孤独を思い知らされる。

泥酔した平山が膝を叩きながら歌う「守るも攻めるも鉄の……か。浮かべる城ぞ頼みなる……か」の吐き捨てるような「か」に小津は戦争が平山のうちに残した癒されることのない底なしの孤独を託したように私には思われる。

（『小津安二郎名作映画集7　秋刀魚の味』解説、小学館2011年6月29日）

コミュニケーションの深度

『お早よう』は私にとって懐かしい映画である。それが私の生まれた街を舞台にしているからである。実と勇の兄弟が登下校のために歩く多摩川の土手は、私が毎朝犬と散歩した道であり、家出した二人が手づかみで飯を食べるその階段で、私も凧揚げをし、草滑りをして遊んだ。

この街は戦前戦中軍需産業で栄え、それゆえ空襲で徹底的に破壊された。その焼け跡に戦後になって地方出身者が流れ込んだ。私の両親も、近所の人々もそうだった。だから、この街には守るべき祭りも、古老からの言い伝えも、郷土料理も、方言もなかった。

『お早よう』の住民たちもまたそれぞれの出自の徴を残したまま、偶然に導かれてここに集住している。共同体らしきものは「婦人会」しかないが、それは地域の連帯を深める上で機能しているようには見えない。男たちはときおり近所の居酒屋で出会うが、話題は弾まない。わずかな行き違いから隣家との間に深刻な対立が生じることもある。「うまく言葉が通じない人たち」が軒を接するこの住宅地では、それゆえコミュニケーションの成否が死活的に重要となる。小津はコミュニケーションの不毛地帯で起きたいくつかの寓話的エピソードをこの映画で重ね塗りしてみせた。

印象的なエピソードを二つだけ。一つは「おならによるコミュニケーション」。善之助（竹田法二）のくぐもった放屁の音に、そのつど妻（高橋とよ）は台所で働く手を休めて「あんた、呼んだ？」と訊ねに来る。三度目の「呼んだ？」のとき、善之助は「今日亀戸の方に行くんだけれど、くず餅でも買って来るか」とささやかな謝意を以て応じる。それに対して妻は「あ、ほんとうにいいお天気」と夫の勤労の一日への祝福を贈り返す。おそらく映画館が爆笑に包まれたであろうこの場面で、小津はコミュニケーションについての奥の深い知見を語っている。それは、「最初の一撃」が無作為のノイズであったとしても、それを自分宛てのメッセージだと思った人間が出現したとき、コミュニケーションは創始されるということである。

もう一つは「挨拶」。父親に多弁をたしなめられた実はこう言って反論する。「大人だってよけいなことを言っているじゃないか。『こんにちは』『おはよう』『こんばんは』『いい天気ですね』……」

幼い合理主義者である実は、コミュニケーションの本義はメッセージを過不足なく伝えることにあると信じている。だから、「テレビが欲しい」という意思を伝えるためには「テレビが欲しい」と大声でわめき立ててみせることがもっとも合理的なふるまいだと考える。けれども、そのようなメッセージは、どれほど一義的であっても、軋轢《あつれき》以外の何も生み出さないことを彼は知らない。

それに反して、ひそかに惹かれ合っている平一郎（佐田啓二）と節子（久我美子）は自分たちの「心のコンテンツ」を決して口に出さない。彼らは「いつだって翻訳のことかお天気の話ばっかりして、肝心なことは一つも言わない」カップルである。映画の最後に駅で出会うときも、ふたりは相変わらずお天気の話に終始する。しかし、この美しいほど無意味なリフレインに小津安二郎は日本映画史上もっとも純度の高い愛情表現を仮託したのである。

（『小津安二郎名作映画集８　お早よう』解説、小学館２０１１年７月31日）

問うことの暴力

『東京暮色』は小津作品の中で際だって暗い映画である。常連のコメディ・リリーフである須賀不二男や田中春男や高橋貞二の癖のある芝居に、他の映画では笑いをこらえられない私だが、この映画に限ってはついに一度も笑えなかった。むしろ、しばしば鳥肌が立った。

麻雀の卓を囲みながら、明子（有馬稲子）とその恋人の性関係と明子の妊娠を一場の笑い話にするときのノンちゃん（高橋貞二）の執拗な悪ふざけは、もしかすると俳優高橋貞二の生涯最高のパフォーマンスかも知れない。

ノンちゃんは野球解説者小西得郎の「何とお、申しま〜しょうか」という独特の口ぶりを真似て、（ときどき「ポン」と地声を挟みながら）何と映画のストーリーを三分に及ぶ長台詞で説明してしまうのである。これはきわめて異例のことである。小津映画では、観客が知り得ない重要な事実を俳優が台詞で「順序立てて説明する」ということはほとんど起こらないからである。

それは「説明」という行為に含まれる本質的な暴力性を小津が嫌って（というより怖れて）いたからではないかと私は思う。

人間のほんとうの気持ちや、行動のほんとうの意味は本人にもわからない。だから「どうして？」と説明を求められても絶句する他ない。そして、そのような出口のない沈黙に人を追いやる執拗な問いかけのうちには、何かしら生命力を萎えさせる邪悪さが存在する。

『東京暮色』の劇的緊張はどれも「回答を強要するもの」と「答えられずに絶句するもの」の対面状況のうちに展開する。周吉（笠智衆）は次女明子が堕胎費用を工面して回っているときに、「そんな金、何に要るんだい」という答えることのできない問いを向ける。明子は優柔不断な恋人のケンちゃん（田浦正巳）に「じゃあ、どうすればいいよ。私いったい、どうすればいいのよ」というやはり答えることのできない問いを向ける。刑事（宮口精二）は深夜喫茶で来るはずのない恋人を待っている明子に「何してんの、こんなとこで」と答えることのできない職務質問を向ける。明子は家族を捨てて駈け落ちした奔放な母（山田五十鈴）に「ねえ、お母さん、あたしいったい誰の子よ？」と母の自己同一性の根幹を揺るがすような問いを向ける。

これらの問いはどれも答えを求めてなされているのではない。むしろ、人を底なしの不能感に追い込むためになされている。

人にはそれぞれ他人には言えない事情がある。触れられただけで皮膚が破れ血がにじむほど深い傷を抱えている。あえてそれを問うのは「真実の探求」に似ていて、非なるものである。

「答えられない問いを向ける人たち」の中にあって、例外的に、雀荘の主人（中村伸郎）と中華そば屋の主人（藤原釜足）だけは劇中一度も「問い」を発さない。彼らだけが他人の言葉を遮《さえぎ》らず、疑わず、底意を探らない。ただ相手が必要とするらしい言葉（と酒）を差し出すだけである。彼らはやがて、その気づかいにふさわしい報償を得ることになるのだろうか。私にはわからない。そうであればいいとは思うが。

「問わない」という気づかいが時には必要なのはほんとうである。「問わない」人にしか自分を託せないほどに疲れ切ることが時にはあるからだ。小津安二郎はそのような人間の疲れ方をほんとうによく知っていたのだと思う。

（『小津安二郎名作映画集9　東京暮色』解説、小学館2011年8月31日）

記号が受肉するとき

小津安二郎は勤め人の経験がなかった。だからサラリーマン生活は小津にとっては一種の「ファンタジー」だった。背広を着て、満員電車に詰め込まれ、日々オフィスに通うサラリーマンが何のためにそんなことをしているのか、小津にはうまく想像できなかった。小津の描くオフィスが妙に非現実的なのはそのせいである。

どの映画でも、男たちは一列に並んで書類をめくり、女たちは一列に並んでタイプを打つ（ときどき鉛筆やペンで線を引く）。それだけである。たまに重役に書類を届けるだけで、説明も相談もしない。会議もしないし、営業もしない。実際、小津にはそう見えていたのだろう。

けれども敗戦から10年が経ち、日本人のほとんどが会社勤めになる時代が来た。彼らをいつまでも空疎な記号、命のない操り人形のままにしておくことはできない。誰かがサラリーマンを祝福し、彼らを「受肉」させなければならない。『早春』は小津安二郎が（ゼペット爺さんがピノキオにそうしたように）「9時から5時までのサラリーマン」を生身の人間に改鋳する試みだった（それはその6年後に『ニッポン無責任時代』で植木等が生身のサラリーマンをマンガ的にキャラクター化してみせたのとみごとな対をなしている）。

小津は杉山夫婦にきわだって身体性の希薄な俳優二人をキャスティングした。彼らはまるで水墨画で描かれた人物のように端正で透明だ。杉山（池部良）は真夏の一日の労働の後でも、汗もかかず、髪の乱れもない。外泊した翌日もワイシャツは皺がなく、無精髭も生えていない。昌子（淡島千景）はまっすぐ背を伸ばしたまま眠り、寝間着を訪問着のように隙なく着付けている。彼らがなけなしの身体性をあらわにするのは「食事をする」という行為においてのみである。だが、夫婦が食卓を囲む場面は映画の中にはない。杉山が「食べる」という行為に接近できるのは金魚（岸恵子）といるときだけである。ところが、その二人はなかなか食物を摂取することができない。弁当をいつ食べればいいのかわからないハイキングでも、壁に向かってまずそうに中華饅頭をちぎる昼休みでも、焼け過ぎたお好み焼きをへらでいじりまわす不倫の夜でも、うどんパーティの「査問」の席でも、送別会のときでも、いつも何かが彼らの嚥下《えんげ》を妨害する。

杉山と金魚との間で繰り返される「食べようとするが、飲み下せない」がエロス的な表象であることは明らかだ。だとすれば、杉山が妻に向ける「おい、飯」という呼びかけだけがあって、いつまでも始まらない食事は長男の死のあと、夫婦の間で性的な交渉が久しく絶えていることを暗示している。たぶん、この夫婦は自分が身体をもつことそれ自体に身体的な嫌悪を感じていたのである（矛盾した話だが）。

映画は夫婦がそれぞれのかたくな自己防御を解除し、身体を持つこと、「受肉」を決意するところで終わる。再生を誓った杉山と昌子が窓から並んで汽車を見送るラストでの二人は最初に比べると、少しだけ陰翳《いんえい》が濃くなり、体温が上がり、言葉の響きが深くなっているように見える。それは小津安二郎から彼らへの贈り物である。

（『小津安二郎名作映画集10　早春』解説、小学館2011年10月1日）

第3章

宮崎駿

空を飛ぶ少女について

地球のことをよく知らない人（火星人とか）がやって来て、「キミたちの世界では、ミヤザキハヤオという人の映画がずいぶん人気があるようだけど、彼の映画はいったいどういう点が魅力的なの？」と訊かれたら、みなさんはどんなふうに答えますか。

宮崎作品はどれもプロットは面白く、テーマは深く、キャラクターは魅力的です。でも、宮崎駿の全作品を貫く魅力を「ひとことで」言ってみせよというような無体な要求に応えるためにはそういうメリットを列挙したのでは条件に合いません。「ひとこと」で言えと責め立てられたら、僕は苦し紛れにこう答えるでしょう。

少女が空を飛ぶから。

そう言われても納得しない方が多いでしょう（火星人もたぶん納得しません）。だから、今回はその話をすることにします。

どうして、宮崎映画の最大の魅力は「少女が空を飛ぶ」画像にあるのか。これは作家の本質にかかわる話になります。

ご存じの通り、宮崎さんの映画には少女たちが空を飛ぶ場面が繰り返し出てきます。『風の谷のナウシカ』のナウシカも、『天空の城ラピュタ』のシータも、『となりのトトロ』のサツキとメイも、彼女たちが空を飛ぶシーンは僕たちがもっとも映画的な高揚感と身体的な愉悦を覚える場面です。でも、「空を飛ぶこと」自体は必ずしもプロットの中核部分ではないし、物語の主題でもないし、そこにクリエーターからのメッセージがあるわけでもありません。それでも僕は「少女が空を飛ぶこと」は宮崎映画の本質だと思っています。

僕はこんなことを想像します（個人的な想像なので、宮崎さんに「違う」と言われると反論できませんが）。新しい作品を始めるとき、「少女が空を飛ぶ図像」がまず宮崎さんの脳裏に浮かびます。それが動くところを精密に描きたくなる。何時間も、何十時間もずっと手が動いて、さまざまな種類の「空を飛ぶ少女」の画像を描き上げる。その「空飛ぶ少女」の画像が物語の「ここぞ」というところで画面いっぱいに拡がり、観客たちを一気に浮遊感をもたらすように物語を考想する。まず「空飛ぶ少女」、そのあとにその画像がぴたりとはまるような「お話」。そういう順序になっているんじゃないでしょうか。あくまで想像ですけど、僕はこの仮説にかなりのこだわりがあります。

今回『魔女の宅急便』について思うところを述べよというお題と十分な紙数を頂いたことを奇貨として「空飛ぶ少女」の意味について以下にいささかの思弁を弄したいと思います。お時間のある方、お付き合いください。

まず『魔女の宅急便』というのは「どういうテーマ」の映画か、という話から始めます。

僕は映画を観るときに「この映画のテーマは何か?」というようなことはふつう考えません。テーマと作品の質の間には関係がないからです。テーマはたいそう立派だかつまらない映画があり、テーマなんかないけどやたら面白い映画もある。ですから、「この映画のテーマは何か?」という問いを立てて、つじつまの合った答えを得ても、映画を深く享受することにはあまり役立ちません。

でも、僕は今回あえてそういう問いから始めてみようと思います。『魔女の宅急便』の場合は、「この映画のテーマは何か?」という問いを立てるところから始めた方が話が面白くなりそうだからです。

この映画にはわかりやすいテーマがあります。文句のつけようがないくらいにわかりやすい。企画書に書かれたテーマを見て、スポンサーは出資し、シナリオが書かれ、キャラクターが設定され、パブリシティも打たれました。だから、たしかにそういう映画なんです。でも、宮崎さんが企画書の「制作意図」の欄にどこまで「ほんとうに思っている」ことを書いたか、僕はかなり懐疑的です。出資者たちは「この映画が収益をもたらすかどうか」に優先的な関心があるわけで、宮崎駿が「ほんとうに作りたいもの」に興味があるわけじゃないんですから。『魔女の宅急便』の「わかりやすい」テーマは「少女が労働を通じて成熟すること」でした。宮崎さん本人がそう言っているのですから文句のつけようがない。批評家も観客もみんな「なるほど、そうか」と素直に受け容れました。でも、僕はそう簡単には受け容れません。だいたい、どうして宮崎さんはそんなに簡単に「種明かし」をしてしまうのか。それが納得ゆかない。そんなことをしたら映画の興趣を殺ぐことになるんですから。そのことに宮崎さんが気づかないはずはない。むしろ宮崎さんはこの「表のテーマ」にスポンサーや観客の関心を集中させることによって、「自分にとっては切実だけれど、一般性のないテーマ」（「裏テーマ」ですね）を誰にも気づかせぬままに描こうとしているのではないか、僕はそんなふうに深読みしたくなってきました。

なにもわざわざそんなにひねくれなくてもいいじゃないかと思う方もおられると思いますが、映画や小説において、こういうミスディレクション（読者や観客を見当違いの方向に誘導すること）は実はよく行われるのです。ヒッチコックはその名手でした。

ミスディレクションは「レッド・ヘリング」（赤い鰊《にしん》）とも呼ばれます。「赤い鰊」とは猟犬を訓練するときに使う「本来の目的から逸らせるための仕掛け」です（これに引っかかって獲物と違う方向に誘導される猟犬は飼い主にこっぴどく叱られます）。

誤解しないで欲しいのですが、「レッド・ヘリング」を仕掛ける映画作家は観客を愚弄するためにそうしているわけではありません。観客に挑戦しているのです。観客の洞察や直感に対して敬意を払っているのです。僕はそう思います。

「この映画はあるものを過剰なほど誇示的に表象することであるものを隠蔽している。それは何でしょう？」宮崎さんもまた観客に向かってそう問いかけているように僕には思えるのです。

そんなのはウチダの勝手な妄想だと言って頂いてもちろん構わないんです（たぶん、妄想だし）。妄想に付き合うことで失われるのは僕の時間（と、うっかり僕の話に付き合ってしまった読者たちの時間）だけなんですから。

では、宮崎駿が仕掛けた「レッド・ヘリング」は何かというところから話を始めます。

『魔女の宅急便』の制作意図について、二つのインタビューで宮崎さんはほとんど同じ言葉づかいで語っています。それが僕には不思議に思われました。インタビューで同じことを言うことのどこが不思議かとご不審でしょうけれど、実は下に引用する二つのインタビューの間には13年の間隔が空いているのです。

みなさん、自分自身を振り返ってみてください。自分の人生にとって重大な出来事について、同じ質問に、つねに同じ答えをするということがありますか。「どうして結婚したんですか？」とか「どうしてこの仕事を選んだんですか？」と訊かれたときにする答えって、歳月が経つにつれてどんどん変わるはずでしょう？　そういう質問をされて、13年前と同じ答えをする人がいたら、僕たちは「この人はこの13年間まったく人間的成長をしてこなかった」と思うか「嘘をついている」と思うか、どちらかです。宮崎駿のような創造的な才能が、彼にとってもスタジオ・ジブリにとっても非常に重要な転換的な意味を持った作品について、同じ説明を１３年後も繰り返すということに僕は引っかかるのです。そういうことは、ふつうはないから。ふつうはないことが起きた。さて、それは何を意味するのか。

まずインタビューそのものを読んでみましょう。まず１９８９年のインタビューから。

「最初の出発点として考えたのは、思春期の女の子の話を作ろうということでした。しかもそれは日本の、僕らのまわりにいるような地方から上京してきて生活しているごくふつうの女性たち。彼女たちに象徴されている、現代の社会で女の子たちが遭遇するであろう物語を描くんだ、と。これは架空の国を舞台にした、魔女が出てくる架空のお話だけれども、僕らが描くのは、いま都会に出てきて自分の部屋と仕事は何とか手に入れたけど、さてそれからどうしたものだろうと思っている女の子たちの物語であると。そういう仮説を立てて、それをうまく作れば見てくれる人が共感してくれるのではないかと考えたわけです。」

次のはそれから13年経った２００2年のインタビューです。

「当時から〝自分探し〟っていう言葉が流行っていたかどうかは知りませんけど、なんかそういうもんと結びつけて、少女漫画を描きたくて田舎から出てきた女の子のような話にしようと思ったら、自分の中で非常にわかりやすくなったんですよ。ちょっと漫画を描けるだけだ、単に空を飛べるだけだっていうね。そのくらいの才能なら誰でも持ってる、それで食べていけるのかっていう。そういうことを考えながら作ったんです。」

宮崎さんによると『トトロ』は（今となっては信じがたいことですけれど）興行的に不振でした。『ラピュタ』も高畑勲監督の『火垂るの墓』も入りが悪く、スタジオ・ジブリはそこで負った「経済的なダメージ」から抜け出すために、この作品を「作らざるを得なくなる」、そういう事情がありました。

ですから、『魔女の宅急便』の制作事情について、宮崎さんはちょっと冷たい口調で「あれは僕はやる気はなかったんですよ」と述べています。「やる気はなかった」けれど、「僕の中でこうやればできるなっていうのはすぐわかった」　だから、すぐに仕事にかかることができた。そして、「こうやればできる」と言ったとき宮崎さんが考えたのが、角野栄子の原作にはなかった要素を付け加えることでした。

「こういうものを日本でやるときに一番欠けているのは、思春期のなんか、自分でも自分をコントロールできないみたいな、そういう想いだと思うんですよね。原作にはそういうものはなかったんですけど、それがなかったらつまんないだろうって。そういうものを入れて作ろうっていうことなんですよね。」

これは重要な発言です。「原作にはないもの」を入れることで『魔女の宅急便』は作品として成り立つと宮崎さんは直感しました。あるいは、「それなら自分にも描ける」と思った。「原作にはないもの」とは宮崎さんの言葉をそのまま借りれば「自分でも自分をコントロールできないみたいな、そういう想い」です。

それを最初、宮崎さんは「思春期の想い」という言葉で言い表そうとしましたが、途中で別の言葉に置き換えました。「才能」です（この言葉は二度のインタビューのどちらにも出てきます）。

宮崎駿は『魔女の宅急便』という映画を、原作にない要素を加えることで「才能についての物語」として成り立たせることにしたのです。

人はどうやってその生得的な才能を維持できるのか。どうやってその才能をさらに豊かに開花させることができるのか。どういうきっかけでその能力は失われ、また回復することができるのか。これは才能豊かな人たちにとってはきわめて切実な実存の根本にかかわる問いです。でも、凡人たち（あるいは自分のことを「凡人」だと思っている人たち）にはまるで興味のない話です。そんなの、「あら、才能があってよござんしたね」と鼻を鳴らして終わりです。ですから、才能についての悩みを主題にして娯楽映画は作れません。客が来ませんから。でも、宮崎駿にとってはこれ以上切実な問いはなかった。日々それ以外に考えることがないくらいに切実な問いでした。ひとりのクリエーターとして、またスタジオ・ジブリという一種の教育機関で若い人たちを育てる上での死活問題でもあったからです。

ですから、『魔女の宅急便』の企画が来たとき、これは「才能についての話になる」と宮崎駿は思いました。その話なら高いテンションを維持して描けると思った。

天才ははじめから人にできないことが軽々とできます。「どうして、みんなにはこんな簡単なことができないんだろう」と不思議に思うほどに、すばらしい天賦の贈り物を享受している。でも、それは努力で獲得したものではありません。そして、この天賦の才能は不意に失われることがあります。昨日まで簡単にできたことが朝起きたら急にできなくなっていたということがある。これが天才の陥るピットフォールです。

昨日まではあまりに簡単にできたことなので、改めて「どうやってやるのか」と考えると、そのやり方がわからない。「できない」状態から努力を重ねて「できる」ようになった人ならスランプに陥っても、かつての努力を再演すれば能力は復元できます。でも、「はじめからできた」人には「昨日までできたことができなくなる」ということの意味がわかりません。「できない」から「できる」へ架橋する方法がわかりません。どうすればこの絶望的な不調から脱出できるのか、相談する相手もいない、助言を求める相手もいない。そして、同情してくれる人もいない。シリアスな状況です。

キキにとっての「飛ぶ能力」は天賦の才能でした。努力せずに、飛べた。「血で飛ぶ」という言葉で映画の中では説明されています。宮崎さんはその意味をインタビューの中でこう解いてみせます。

「血っていったいなんですか。親からもらったものでしょう。自分が習得したものじゃないですよね。才能っていうのは、みんなそうなんです。無意識のうちに平気で使っている時期から、意識的にその力を自分のものにする過程が必要なんですよ。」

このいささか前のめりになった語り口と、「才能っていうのは、みんなそうなんです」の一文にご注意くださいね。宮崎さんがちょっと興奮しているのは、自分のことを話しているからです。

これに続いて宮崎さんはキキの友だちになる女流画家ウルスラについて語ります。僕はその言葉はそのまま「宮崎駿とその才能について」の述懐として読むことができると思います。

角野栄子の原作にはキキの肖像画を描く「絵描きさん」という女性は登場しますけれど、彼女には名前がありません。キキの親友になることもありませんし、自分の才能についてキキに語ることもありません。ウルスラというこのキャラクターの造形は宮崎駿の発意によるものです。さて、そのウルスラについて宮崎さんは何と言っているでしょう。

「それはウルスラが言っている言葉と同じです。いくらでも絵は描けたけど、本当に自分のものだと思っていたものが実はもらったものだったと。誰だって同じですよ。自分の力を自分で見きわめていく仕事を二十代、三十代、四十代とずっと続けていって、ようやくこんなものかなとある程度の見きわめがつくっていう程度のことでしょ。だから、今まで平気で、無意識のうちにやれたことがとてもできなくなってしまうというのは、無意識のうちに成長していくことは不可能だということでもあるんです。」

これは宮崎さん自身のことだと思って僕は読みます。宮崎さんもまた「もらったもの」、「血」で描いてきた人でした。生まれつきめちゃめちゃ絵がうまかったんです。そして、「無意識のうちにやれたこと」をそのまま職業にしてきた。それでも、絵が描けなくなるという危機には幾度か遭遇した。でも、さいわいにも、そのつど危機を切り抜けてきました。その経験から宮崎さんが得た経験知は次のようなものでした。

才能が枯渇したときに、そこから抜け出して、もう一度才能を起動させるためには人間は成長しなければならない。才能に頼って仕事をすることは幼児でもできる。でも、才能が停止したとき、それをもう一度賦活させるためには大人になる必要がある。だから、才能についての物語は必ず成長についての物語になる。

宮崎さん自身は、正直言うと、別に大人になんかなりたくなかったのだけれど（そうだと思います）、絵を描き続け、映画を作り続けるためには、大人になるしかなかった。これはかなり苦々しい事実だったんじゃないかと僕は思います。

ただし、成長についての物語は必ずしも才能についての物語にはなりません。そこが難しいところです。「これは才能についての映画です」というようなアナウンスをしたら、誰も映画を見に来ません（僕は行きますけど）。ですから、この映画を「あたりまえの主題」をめぐる物語だと見誤らせるために宮崎さんは『魔女の宅急便』に二つ仕掛けをしました。

一つは「魔女」の話にしたこと。一つは「思春期」の話にしたことです。

魔女が猫と話せたり、ほうきに乗って空を飛べるのは、誰が何と言っても天賦の才能という他ありません。でも、さいわいこのような才能は誰の嫉妬もかき立てません。魔女はあまりに例外的すぎて、自分との比較の対象にならないからです。アマゾンの半魚人がえら呼吸と肺呼吸を使い分けできる才能に誰も嫉妬しないのといっしょです。

魔女が飛べなくなるという設定はその意味では絶好の「レッド・ヘリング」でした。魔女の話なら、観客もいっしょになって「どうやったら飛べるようになるのだろう」と胸を痛め、飛べるようになれば素直に拍手してくれる。これが例えば急に曲が書けなくなった天才音楽家とか、急に物語が書けなくなった天才作家の話だったとしたら、同じような共感が得られるでしょうか。

もう一つは思春期の話にしたことです。思春期は観客たちがみんな通過したことのある時代です（小さいお子さんたちのことはここではしばらく除外します）。

思春期というのは、昨日までは自分が自分であることに何の疑問もなかった子供が、不意に「自分であること」が難しいと感じるときです。

子供のときは自分の心と身体は完全に調和しています。自分が自分であることは１００％自明のことでした。自分の欲望は100％純粋な欲望であり、身体と心はぴったりと一致して、何の隙間もなかった。それがある日、鏡を見ると「見知らぬ顔」が映っている。口を開くと「知らない人の声」が聞こえてくる。身体も知らぬうちにどんどん変形してくる。歩くことも、食べることも、おしゃべりすることも、昨日まで何の苦労もなくできたことがどれも他の人間の「ぬいぐるみ」をかぶってしているようにぎごちなく、不自然に感じられる。昨日までは無意識のうちにできたすべてのことが、もう滑らかにはできなくなる。それが思春期です。誰でも経験することです。

天賦の才能と思春期は「自分で自分が制御できない」、「昨日まで楽々とできたことが今日はできない」という不能の形態においてたいへんよく似ています。ですから、宮崎さんはこれを二つ目の「レッド・ヘリング」にしました。

これは魔女の成長譚という寓話のかたちを借りて、「田舎から出てきた女の子の話」をしているのです、そう宮崎さんに説明されて、みんな納得しました。なるほど、そういう「ほっこりした、のどかな話」なのか。それなら気楽に観ることができる。

みんながそう思ってくれたらミスディレクション成功です。狡猾な奇術師が、観客がくるくる動く指先に注視している間に、もう一つの手で見えないところで魔術を仕掛けるように、宮崎さんは『魔女の宅急便』という原作を素材にして、これから「思春期の魔女の映画」を撮りますと公式にアナウンスしながら、自分自身だけのために「天才についての映画」を撮ろうとひそかに決めたのだと僕は思います。

魔女の悩みは架空の世界の話です。思春期の自己解離は万人の問題です。才能の消長は天才だけの問題です。魔女も、思春期も、別にどうでもいいけど、才能がどうやって枯渇して、どうやって賦活するかについては、宮崎駿はどうしても描いておきたいことがありました。それが「空を飛ぶ少女」のイコンについての物語です。

宮崎駿は天才です。ご自身がどれだけ否定しても、これは譲れません。そして、天才には天才固有の苦しみがあります。天才は他の人には逆立ちしてもできないことが軽々とできる代わりに、昨日まで軽々とできたことがある日不意にできなくなるということがある。なぜできなくなったのか。その理由は自分にはわからない。絵が描けなくなった。物語が浮かばなくなった。どうして無意識のうちにできていたことができなくなったのか、そんなことを誰かに訊くことはできません。どうすればもう一度絵が描けるようになるのか、誰も教えてくれない。自分でなんとかするしかない。そして、宮崎駿はこれまでに何度か味わったこの「絵が描けない危機」をそのつど脱出してきました。こうすれば脱出できるという経験則をあるときに発見したからです。

まったく絵が描けない、ひとつも物語を思いつかないという最悪の不調においても、つねに宮崎さんを救い出すことのできる「イコン」がありました。そのイコンを描こうとすると、どれほど絶望的な不調のうちにあっても、作者の思いとは無関係に筆が自然に動き出す。凪のような海面にさざ波が立ち、ぴたりと止んでいた風が吹き始め、ちぢこまっていた想像力がおずおずと羽根を拡げ始める。その絵を描き続けているとやがて「意思で統御できない力」が発動する、そんな特権的なモチーフが宮崎さんには存在するのです。

もうおわかりですね。それが「空を飛ぶ少女」のイコンです。

「空を飛ぶ少女」は宮崎駿にとって特権的なイコンでした。それは宮崎さんにとって、おそらく「祈り」や「マントラ」に近い働きをしているのだろうと思います。

「空飛ぶ少女」を描くとき、宮崎駿の中では「自分では制御できないもの」がリリースされる。マグマのようなものが地殻の蓋を噴き飛ばして、身体の中を通過して発現する。「空飛ぶ少女」のイコンがある種の「野生の力」、制御できない力を解発するのです。狼男が満月を見ると全身にエネルギーが満ちあふれるようなものです。そういう「野生の力を解発するトリガー」は、かたちやスケールは違っても、実は誰にでもあります。

ほうきで空を飛ぶ魔女の童話を一読した宮崎さんが「こうやればできるなっていうのはすぐわかった」のはだから当然なんです。「表のテーマ」は思春期の魔女の成長譚、「裏テーマ」は天才の危機と復活。そして、才能の枯渇に逢着した天才の復活のトリガーになるのは「空飛ぶ少女」の画像。もう、ですから『魔女の宅急便』はこれ以上宮崎駿的な設定はないというくらいに宮崎駿的な設定で作られた映画なのであります。

では、いよいよ本題の論件に進みましょう。なぜ「空飛ぶ少女」は宮崎駿にとって特権的なイコンでありえたのかというもっとも本質的な問いです。多くの人がこれまで「空飛ぶ少女」の図像が宮崎映画の「指紋」のようなものだということを指摘してきておりました。これはその通りです。ご本人ももちろん認めておられます。

「ある一定のレベルができたときに、そこで飛ぶのか、やっぱり地面の上を走り回るのかっていうのは、僕は周りのいろんな人に聞きますね。聞いているうちに自分がどっちをやりたいかわかってくるんです。(……)それでね、そのとき『ちょっと(小声で)またいつものパターンかなあ』という気持ちも働きますよ(笑)もちろん。(……)『また飛ぶのかなあ』とかね(笑)」

また飛ぶんです！　必ず飛ぶ。少女が空を飛ぶと、ギヤがスコンと入って、ぐいっと加速する。なぜなんでしょう。

まずは「空を飛ぶ」とはこの『魔女の宅急便』という物語においては何を意味するのか、その分析から始めましょう。

『魔女の宅急便』はその全編が「空を飛ぶ」とはどういうことかという原理的な問いをめぐって物語が編み上げられています。答えは全部この映画の中に描き込まれている。そう言ってよいでしょう。

『魔女の宅急便』という映画の中で「少女が空を飛ぶ」というのは純粋に機能的なことです。それは「A地点からB地点への移動手段」です。列車や自動車でもできることを「魔女のほうき」という別の移動手段でやっているに過ぎません。ですから、移動することそのものは彼女の人生にとって特に主題的な出来事ではありません。話の「つなぎ」です。彼女をめぐるほんとうの物語は「飛べない人たち」との間で、地上で展開します。空中では何も起こりません。つまり、成長譚ということで言うと、ただ飛んでいる限りキキに成長の機会は訪れないということです。

もちろん、飛んでいるときも、雨に濡れたり、カラスの群れに襲われたり、突風に吹かれたりはしますけれど、それはどれも偶発的な「アクシデント」であって、キキが「選んだこと」ではありません。

ここが大事です。少女が空を飛んでいるのは、彼女が「選んだこと」ではない。彼女は飛びたくて飛んでいるわけではないのです。

最初に家を発つときも、キキは「13歳の満月の夜に旅立つ」という古くからの魔女の伝承に従っています。彼女の選択の範囲はせいぜい「今月の満月の夜」か「次の月の満月の夜」か、それくらいです。最初に着地する列車も大雨に降られてやむなく雨宿りするための避難所です。彼女が定住を決める都市にも「先住の魔女がいない街」という条件がついています。そして、彼女がその能力を生かして選ぶ職業は「宅急便」です。この職業では、いつ、どこに向かって、何のために飛ぶのかを彼女は自己決定することができません。飛ぶことについての決定権をわずかな貨幣と引き替えに売り渡さなければならない。

そして、とんぼくんとの出会いの中でキキは飛ぶ能力そのものを喪失するということを経験します。彼女自身にもコントロールできない「嫉妬」というはじめて経験する感情のせいです。自分では制御できない感情のために彼女はその唯一の社会的能力を失ってしまう。

その能力が回復するときもまた彼女は能力の回復を自己決定したわけではありません。とんぼくんを救わなければならないという激しい情動が抑制をはじき飛ばしてしまう。借り物のデッキブラシにまたがってダッチロールを繰り返すキキのこのときの飛行によって「飛ぶ能力」は彼女が中枢的に制御できるものではないということを僕たちは思い知らされます。

わかりにくい言い方になりますけれど、キキにとって飛ぶ力とは、適切に制御を解除することではじめて制御できる能力なのです。別の言い方をすれば、彼女の飛ぶ力とは「無意識であるときにはじめて発動する巨大な力」だったのです。ですから、思春期以前の未成熟な時代、まるで野生の動物のように本能のままに生きているときキキにとって飛ぶことは、子どもが二足歩行を習得するように自然なことでした。でも、成熟するにつれて、キキの飛行能力が低下する条件が出現してきます。飛ぶ力は恐怖、不安、そして嫉妬によって損なわれます。つまり、「自分を守ろう」とするとこの能力は失われる。防衛的になり、身体と心がかたくなになると、失われる。逆に、晴れやかな気分のときに活性化し、「誰かのために働く」ときに順調に作動し、「誰かを救おうとする」ときに最大化する。キキの飛行能力を決定しているのは主体と他者との関係なのです。キキの飛行能力は彼女が意のままに制御できるものではなく、彼女がいつ、どうやって飛ぶのかは「主体と他者との関係」において決定されるのです。

『魔女の宅急便』におけるキキの社会的成熟は、街の人々の出会いを通じて、彼女だけしかできず、彼女にとってしか意味のないものだった「飛ぶ力」を他者にとっても意味のあるものたらしめることで果されます。

旅立つまでの幼い日々、ひさしく「飛ぶ」ことはキキにとって純粋な「私事」でした。その能力に公共的な認知を与えたのはとんぼくんです。彼はキキの飛行能力に激しいあこがれを示します。こんな他者はキキにとってははじめてのものでした。自分の能力の成果が貨幣をもたらし、他者に欲望されるという経験を通じて、キキはしだいに「無意識のうちに飛ぶ」ことができなくなってきます。

彼女がどういう状況で飛ぶ力を失ったのか、もう一度思い出してください。僕は上で「嫉妬」のせいで、と書きました。誰に対する嫉妬でしょう。とんぼくんを飛行船見学に誘いに来たガールフレンドたちへの嫉妬でしょうか。それもあるでしょう。でも、キキがほんとうに嫉妬した対象は「飛行船」です。

これは人間が創り出した飛行するメカニズムです。キキのほうきに比べてその豪奢なこと。航続距離も快適性も積載量もまるで比較になりません。それに街中の人が夢中になっている。キキの忠実な礼賛者であるとんぼくんさえキキより飛行船に夢中になる。

キキにとって「私事」であった彼女の飛行能力はこのとき公共的なフレームの中で「格付け」され、数値化されます。キキは自分がそれまで無意識に行使してきた能力、無邪気にもそれでお金を稼いできた能力が「飛行能力」という散文的な実用能力のかなり下位のほうに位置づけられるものであることを知ります。そのときキキは飛ぶ力を失います。

なぜ失ったのでしょうか。キキはとんぼくんの礼賛を通じて、あるいは宅急便の顧客たちからの要請を通じて、自分の「私事」であった飛行能力が「他者にとっても意味があるもの」だということを学び知りました。それは最初、彼女にある種の自尊感情をもたらします。はじめての経験です。他者から能力が認知されたわけですからうれしくないはずがない。でも、そのようにして「他者から価値を認められる」ということは、同時に「他者から格付けされること」を意味しています。「飛ぶ力」が数値化され、序列化されれば、「もっとコストパフォーマンスのいい『飛ぶもの』があるから、ほうきの魔女はもう要らない」という理屈でいきなり切り捨てられるリスクを引き受けなければならないということです。他者に承認されることで存在を基礎づけられた者は、他者に否認されることで存在根拠を失う。これはきわめてリスキーなゲームなんです。

キキにはまだその仕組みがわかりません。でも、キキは子供のように飛ぶことはもうできなくなりました。これからはこのきびしいゲームの中で生き延びるしかない。

このゲームでは、「飛ぶ能力」の増減はまっすぐに主体と他者との関係、その密度、その濃度に結びついています。「飛ぶ能力」が単なる換金可能な技術として、市場で誰から構わずに売り買いされるようになると、「飛ぶ力」は弱まります。逆に、固有の名前と固有の顔をもった人たちと、互いに支援し、支援され、頼り、頼られ、迷惑をかけ、迷惑をかけられるという相互的なネットワークの中で用いられると、「飛ぶ」ことの必然性は堅牢なものになり、彼女の「飛ぶ力」は強められる。

自分の才能が自分以外の誰かによっても代替可能なものであるか、誰によっても代替できない「かけがえのないもの」であるか、その違いを知るのが「大人になる」ということです。

地方から都会に出てきた少女が学んだのは、都会で生きるためのあれこれの世知ではなく、彼女の「血」の中に流れていた固有の力はどういう条件において発動するのかでした。キキは自分のことを誰も知らない土地に住み着くことを通じて、自分がほんとうは誰なのかを学び知ってゆきます。彼女のことを知らない人たちが、彼女が他ならぬ誰であるかを、誰であるべきかを、誰であることを切望されているかを教えてくれる。成長譚としては実に説得力のある佳話です。

でも、もうお気づきでしょうが、キキにとっての「飛ぶ力」は宮崎駿にとっての「絵を描く力」と置き換えることが可能です。3頁ほど前から文章中の「キキ」を「宮崎駿」に、「飛ぶ」を「描く」に置き換えてもう一度読み直してください（ぜひ、やってみてください）。「キキの物語」がそのまま「宮崎駿の物語」であることが皆さんにもおわかり頂けると思います。

画家ウルスラもまた作家宮崎駿のアヴァターの一人ですが、彼女はストレートに「絵が描けなくなること」について語ります。これはほぼそのまま宮崎さんの肉声と思ってよいでしょう。

「あたしさ、キキくらいのときに絵描きになろうって決めたの。絵描くの楽しくてさ。寝るのが惜しいくらいだった。それがね、ある日全然描けなくなっちゃった。描いても描いても気に入らないの。それまでの絵が誰かの真似だってわかったんだよ。どこかで見たことがあるってね。自分の絵を描かなくちゃって……」

以来久しくスランプのうちにあったウルスラがそこから脱出するきっかけになったのはキキをモデルにしてキャンバスに描かれた「空飛ぶ少女」の姿でした。

さあ、もう編集部から許された字数をはるかに超えてしまいましたが、まだ「なぜ空飛ぶ少女がイコンとなりうるのか」というもっとも重要な最後の問いに答えておりません。これはもう編集部に頼み込んで頁数の割り当てを増やしても書き切っておかないといけません。できるだけ簡単に済ませますから。

なぜ「空を飛ぶ少女」が作家宮崎駿にとって創造意欲を解発する特権的なイコンとなりうるのか。

一言で答えるなら、少女は空を飛ばないからです。これは「ありえない絵」なんです。

もし風を呼んでメーヴェを駆動する少女や、飛行石で宙に浮き上がる少女や、ほうきにまたがって飛ぶ少女が実際に存在するなら、その絵について精粗や巧拙を論ずることは可能です。構図がどうだとか、デッサンがどうだとか、色使いがどうだとか、スタイルがどうだとか、いろいろな批評の言葉がありうるでしょう。でも、空飛ぶ少女は存在しない。これは「ありえないもの」の絵なんです。だから、それが「実物をどれくらいリアルに再現しているか」というようなことは誰にも言えない。宮崎駿が「空飛ぶ少女」を選んだのはそのせいだと思います。宮崎さんが「空飛ぶ少女」を描くとき、いちばん力を入れているのはどの絵か、みなさんおわかりになりますか。それは飛び立つ瞬間の絵です。

ふつうの女の子が重力の法則に逆らって浮き上がり、風をとらえて飛翔し始める。この「物理学的にありえない風景」を描くときに宮崎駿の作家的想像力は最大化します。どういうふうに描けば絶対に飛ばないはずのものがほんとうに飛び立つように見えるか。これがアニメーターとしての宮崎駿がその最高の技術を惜しまず注ぎ込むことのできる画像的主題です。物理の法則に反する動きをする物体がこの地上に存在することもあるということをどうやって観客に呑み込ませるか。宮崎さんはすさまじい集中力でそのために手を動かしていると思います。「空飛ぶ少女」は「嘘」です。徹底的に嘘です。どんな斬新な推進装置を使っても、ほうきに乗った状態から地面から浮き上がり、滑空を始めるというようなことは達成できません。それはみんなわかっている。でも、この「嘘」を信じてもらわないと、そこで物語の構造が崩壊してしまう。

『魔女の宅急便』では、「嘘を信じ込ませる」宮崎駿の力業を観客は二度見ることができます。

一度目は満月の旅立ちの夜の飛行。「いってきま〜す」と人々に別れを告げたあと、ほうきにまたがってまっすぐ前を見つめるキキの前髪と赤い大きなリボンが風を受けて逆立ちます。ゆっくりほうきが浮かび上がる。その吹き上げられた髪とリボンが元の位置に戻りかけたとき、ほうきは、溜め込んだ圧を吐き出すように、いきなり発進します。風がキキの身体に吹き込み、一瞬の滞留ののち、爆発的な物理的推力に変換されたと観客に信じさせるすばらしい絵です。

二度目は飛行船にぶらさがっているとんぼくんを救うために、掃除夫のおじさんからデッキブラシを借りて、路上から飛び立つクライマックスシーン。このときはまず周囲の自然音がすべて消えて、キキの激しい呼吸音だけが聞こえます。やがてそれも消える。まずブラシの毛が生き物の毛のように波打ち、いきなりばっと逆立つ。そして風が立ち、キキの髪の毛とリボンが逆立つと、デッキブラシがじわりと浮き上がります。そして「飛べ」というキキの号令とともにカタパルトから打ち出されるようにブラシは宙に飛び出す。

二度とも地球の重力の呪縛を解き放って地上から浮き上がる瞬間は画面一杯のキキのアップです。旅立ちのときのキキは「無意識」のまま飛んでいます。だから、赤ん坊のようなイノセントで気持ちよさそうな顔をしている。でも、とんぼくんを救うためにデッキブラシで飛び立つときのキキにはもう子供の表情はありません。顎は尖り、頬はすこしやつれ、眉毛はぴんと吊り上がり、まなざしは鋭く、すでに表情から大人の女になりかけています。そして旅立ちの飛行のときはなかった「飛べ」という言葉が口にされます。つまり、このときキキの飛行能力はもう自分の中に生まれたときから存在する、身になじんだものではなくなっているのです。それは自分の意思ではもう簡単には制御できない力、制御しようという賢しらを去らないと制御できない力という両義的なものになっているのです。まさに「自分の天才との無邪気な親密さ」こそ、天賦の才能をもって生まれてきたものが、その才能とともに成長してゆこうと願うなら失わなければならないものなのです。その成長することの悲しみをこれほどみごとに図像化した宮崎駿の力業に僕は深いため息をつくのです。

（『ジブリの教科書5　魔女の宅急便』（文春ジブリ文庫）、２０１３年）

『風立ちぬ』

宮崎駿の新作『風立ちぬ』を観てきた。

宮崎駿は「どういう映画」を作ろうとしたのだろう。

もちろん、フィルムメーカーに向かって、「どういう映画を作りたいのですか？」とか「この映画を通じて何を伝えたいのですか？」というような質問をするのは意味のないことである（「言葉ですらすら言えるくらいなら映画なんか手間暇かけて作りませんよ」という答えが返ってくるに決まっている）。

でも、映画の感想を述べる立場からすると、このような問いを自問自答してみるというのは、決して無意味なことではない。

映画というのは、それについて語られた無数の言葉を「込み」で成り立っているものだからだ。

お門違いなものであれ、正鵠《せいこく》を射たものであれ、「それについて語る言葉」が多ければ多いほど、多様であればあるほど、賛否いずれにせよ解釈や評価が一つにまとまらないものであるほど、作品としては出来がよい。

私はそう判断することにしている。

「それについて語らずにいられない」という印象を残すのは間違いなくよい映画である。

それはその反対の映画を想像すればよくわかる。

よい映画の対極にあるのは「その映画を観たことをできるだけ早く忘れたくなる映画」ではない。「その映画を観たことを忘れるためにいかなる努力も要さない映画」である。

小津安二郎の映画や、ジョン・ウォーターズの映画や、デヴィッド・リンチの映画を観たあと、私たちはじっと黙っていることができない。

何か言わずにいられない。

とりあえず何か言っておかないと、自分が何を観たのかわからないまま宙づりにされていて、気持ちが片づかないのである。

何かを言っても、それで映画を説明したことには少しもならないのだが、それでも、とりあえず一言でも言っておかないと気が済まない。

そのあと自分がその映画についてもう一度語るときに「取りつく島」がない。

その「取りつく島」をあとになって「あれは勘違いだった」と否認しても少しも構わない。とりあえず、それを否認することで、その映画について私たちは二度語るチャンスを手に入れるからである。

「取りつく島」はひとりひとり違っている。

ある映画について語っているときに、あの場面、あの台詞が忘れられない……とひとりひとりが思い出す場面がすべて違うような映画はよい映画である。

その点で、映画批評は「通夜の客の思い出話」に似ている。

通夜の席で参列者ひとりひとりが語る故人の思い出はそれぞれにばらばらである。ある人が「忘れがたい思い出」として語り出す故人の言葉やふるまいは、しばしば他の誰も知らなかったものである。

全員がまったく別々の思い出を語り、そのせいで、故人の全体像が混沌としてくるような死者がいたとしたら、その死者はずいぶん人間として厚みと奥行きのある人だったのだろうと私は思う。

映画についても同じである。

以下は私の「取りつく島」である。

せっかく語る以上は「他の人が言いそうもないこと」を書こうと思う。

他の人がまず言いそうもないこと、同意してくれそう人があまりいそうもない話なのだから、それが「解釈として正しい」ということはありえない。

でも、それでよいのである。

別に私は「正しい解釈」を述べたいわけではないからだ。

石蹴りをする子どもが最初の石をできるだけ遠くに蹴り飛ばすように、できるだけ遠くまで解釈の射程を拡げてみたい。


『風立ちぬ』にはさまざまな映画的断片がちりばめられている。

それのどれかが決定的な「主題」であるということはないと思う。

むしろ、プロットがその上に展開する「地」の部分を丹念に描き込むことに宮崎駿は持つ限りの技術を捧げたのではないだろうか。

「地」というのは「図」の後ろに引き下がって、主題的に前景化しないものである。

宮崎駿が描きたかったのは、この「前景化しないもの」ではないかというのが私の仮説である。

物語としては前景化しないにもかかわらず、ある時代とその時代に生きた人々がまるごと呼吸し、全身で享受していたもの。

それは「戦前の日本の風土と、人々がその中で生きていた時間」である。

宮崎が描きたかったのは、私たち現代人がもう感知することのできない、あのゆったりとした「時間の流れ」そのものではなかったのか。

映画は明治末年の群馬県の農村の風景から始まって、関東大震災復興後の深川、三菱重工業の名古屋の社屋と工場、二郎たちが離れに住む黒川課長の旧家、各務原飛行場、二郎と菜緒子が出会う軽井沢村、八ヶ岳山麓の富士見高原療養所……を次々と細密に描き出す。

そのどれを見ても、私たちはため息をつかずにはいられない。

そうだ、日本はかつてこのように美しい国だったのだ。人々はこのようにゆったりと語っていたのだ。

それらの風景のひとつひとつを図像的に再生するとき、宮崎はアニメーターたちに例外的なまでの精密さを要求した。

自作自注の中で宮崎は風景についてこう書いている。

「大正から昭和前期にかけて、みどりの多い日本の風土を最大限美しく描きたい。空はまだ濁らず白雲生じ、水は澄み、田園にはゴミひとつ落ちていなかった。一方、町はまずしかった。建築物についてセピアにくすませたくない、モダニズムの東アジア的色彩の氾濫をあえてする。道はでこぼこ、看板は無秩序に立ちならび、木の電柱が乱立している。」(http://kazetachinu.jp/

message.html)

「みどりの多い日本の風土」こそは、私たちが近代化することで（とりわけ戦争に負けたことによって）決定的に失ったものの一つである。

でも、厳密に言うと、私たちは「風土そのもの」を失ったわけではない。

国破れて山河あり。里山の風景は戦争に負けてもそれほどには傷つかなかった。

けれども、深く傷つけられたものがある。

それはそのような「みどりの多い日本の風土」の中でゆったりと生きていた日本人たちの生活時間である。

人々はかつてこの風土に生きる植物が成長し、繁茂し、枯死してゆく時間を基準にしておのれの生活時間を律していた。

植物的な時間に準拠して、それを度量衡に、人々は生活時間を数え、ものの価値を量り、ふるまいの適否を判断した。

でも、戦争が終わったときに、日本人はその生活時間を決定的なしかたで失っていた。

日本人は１９４５年にある種の「時間の数え方」を亡くした自分を発見したのである。

それは一度なくしたら、もう取り返すことのできないものだった。

農村の上空を飛翔する飛行機の風にゆらぐ稲や、軽井沢に吹き渡る風にゆらぐ草を宮崎は恐るべき精密さを以て描いた。

どうして、「風が吹く」ということを示すためだけに、ここまでの労力をかけるのか、怪訝に思う人がいるだろう（私は思った）。

「風が吹く」ということを記号的に処理する方法はいくらでもある。

マンガなら、何本か斜線を引いて「ひゅー」と擬音を描き込めば、それで済ませることだってできる。

でも、宮崎はそれをしなかった。

「風が吹く」というひとつの自然現象を記号的に処理しないこと、かけられるだけの手間をかけてその自然現象を描写し、その風の肌触りを観客の身体に実際に感じさせること、その効果に宮崎駿はこだわった。

おそらく、それが「失われた時」を感知させる唯一の方法だと宮崎が信じたからだろう。

植物は、ただの記号でもないし、舞台装置でもない。

芽生え、育ち、生き、死ぬものである。

そのようなものとしての植物に身を添わせるようにして、かつて人々は生きていた。

植物的な時間。

これは宮崎駿の選好する主題の一つである。

『ナウシカ』の腐海の植物も、『ラピュタ』で天空の城を埋め尽くす樹木も、『もののけ姫』の森も、人間たちの生き死にとはまったく無縁な悠久の時間を生きていた。

かつて人々はそのようにゆったりと流れる植物的な時間と共に生きる術を知っていた。

その知恵が失われた。

私たちは時間とは、どの時代でも、地球上のどこでも、「私たちが今感じているような仕方で流れている」と信じて疑わない。

でも、そうではない。

時間は場所によって、時代によって、文化の違いによって、そのつど違う流れ方をする。

でも、そのことの実感は言葉ではうまく表すことができない。

宮崎駿はその作家的天才を以て、「少し前まで人々がその中で生きていたけれど、いつしか失われてしまった時間」を図像的に表象するという困難な課題に挑んだ。

大正から昭和前期の日本で流れていた、私たちが今知っているのとは違う時間の流れを図像的に表象すること。

その企てを支援するかのように、物語の副旋律として、映画の中には「時間の速度」にかかわる言葉が何度か出てくる。

それはいずれも「時間の流れが早くなっている」かあるいは「早めなければならない」とい

う切迫感を語る。

二郎の妹加代は越中島から花川戸までの蒸気船から夕方の帝都を望んで「こんなに早く復興しているとは思わなかった」と言う。

同僚の本庄は欧米に大きなビハインドを負っているがゆえに、日本の航空技術は「二十年を五年で追いつかなければならない」と二郎に告げる。

そのときに本庄が引く「アキレスと亀」の喩え話について、二郎は「どうして亀の時間で生きてはいけないのか」とぼんやりとつぶやく。

物語の後半で、菜緒子の病状が悪化し、日本の戦況が悪化する中で、二郎は「僕たちにはもう時間が残されていないのです」と絞り出すように語る。

美しい飛行機を設計することを夢見た一人の青年が穏やかな少年時代から妻を失うまでの間に、最も大きく変わってしまったものは、何よりも時間の速度だった。

そして、まことに皮肉なことに、ゆったりとした時間の流れに身を浸し、その中で植物的時間を享受することをおそらく望んでいた青年は、その半生を航空テクノロジーに捧げることによって、「時間の流れを爆発的に速める」という人類史的事業に深く加担してしまったのである。

ゆるやかに大空を舞うように飛んでいた二郎の足踏みの「夢の飛行機」が、空気の壁を切り裂くように飛行する零戦に変容するまでの十数年の間に、彼は顕在的な夢を実現しつつ、彼自身の潜在的な夢を破壊していたのである。

宮崎は主人公の造形についてこう書いている。

「私達の主人公二郎が飛行機設計にたずさわった時代は、日本帝国が破滅にむかってつき進み、ついに崩壊する過程であった。しかし、この映画は戦争を糾弾しようというものではない。ゼロ戦の優秀さで日本の若者を鼓舞しようというものでもない。本当は民間機を作りたかったなどとかばう心算もない。」

そのように簡単に言葉にできることを述べたくて宮崎駿はわざわざ映画を作ったわけではない。

「映画でなければ表現できないこと」を描きたくて、宮崎はこの映画を作ったのだと私は思う。「失われた時間」を求めて。

これは「風立ちぬ」という美しい詩編を残した詩人と奇しくも同年に生まれた別のフランス人の作家が自作のために撰した題名である。

(ブログ2013年8月7日)

第4章　村上春樹

村上春樹の系譜と構造

最初にお断りしておきますけれど、僕は村上春樹の研究者ではありません。批評家でもない。一読者です。僕の関心事はもっぱら「村上春樹の作品からいかに多くの快楽を引き出すか」にあります。ですから、僕が村上春樹の作品を解釈し、あれこれと仮説を立てるのは、そうした方が読んでいてより愉しいからです。どういうふうに解釈すると「もっと愉しくなるか」を基準に僕の仮説は立てられています。ですから、そこに学術的厳密性のようなものをあまり期待されても困ります。とはいえ、学術的厳密性がまったくない「でたらめ」ですと、それはそれで解釈のもたらす愉悦は減じる。このあたりのさじ加減が難しいです。どの程度の厳密性が読解のもたらす愉悦を最大化するか。ふつうの研究者はそんなことに頭を使いませんけれど、僕の場合は、そこが力の入れどころです。

いずれにせよ、僕が仮説を提示するのは、みなさんからの「真偽」や「正否」の判断を求めてではありません。自分の「思いついたこと」をみなさんにお話しして、それに触発されて、「今の話を聞いて、私も『こんなこと』を思いついた」という人が一人でもいれば、僕はそれで十分です。

今回は二つのトピックを巡ってお話しします。一つは村上文学の「系譜」についてです。この「系譜」には「横の系譜」と「縦の系譜」の二つがあると僕は考えています。それについてお話しします。もう一つは「構造」についてです。村上文学の構造は、系譜と絡み合っています。系譜と構造は村上文学に取りかかる時の二つの「登山口」のようなものです。たぶんどちらから登っても結局は「同じところ」に行き着くはずです。まずは分かりやすい「系譜」の話からいたします。

村上春樹は『風の歌を聴け』（１９７９年）、『１９７３年のピンボール』（１９８０年）という初期の２作品を書いた時は「兼業作家」でした。20代の７年間をジャズバーを経営し、作家自身の言葉を借りれば「肉体労働」をして過ごしていた。29歳の時に、神宮球場でヤクルトスワローズの開幕戦を外野席で冷たいビールを飲みながら観戦していたときに、天啓のように「そうだ、小説を書こう」という気分になった、とご本人が回想しています。

初期の２作品は深夜に仕事が終わったあと、台所のテーブルの上で書かれました。１日の肉体労働が終わったあとに、クールダウンをするような感じで原稿用紙を文字で埋めていった。寝る時間を削って書いているわけですから、それほど長時間集中することはできない。せいぜい2～3時間でしょう。ですから、この2作は細かいセグメントの組み合わせになりました。アフォリズム的な作品といってもいい。短いエピソードや断片的な描写が繋ぎ合わされている。それが独特のドライでクールな味わいをこの2作品に与えています。それを「スマート」とか「都会的」というふうに感じた読者もいたと思います。でも、それは作家の選んだスタイルであったというだけではなく、たぶんに執筆事情が要請したものでした。

村上春樹が自分のスタイルを「発見」したのは第三作の『羊をめぐる冒険』（1982年）においてです。その前にジャズバーの経営を譲って、専業作家になった。これまでとは違って、長時間にわたって集中的に書く環境が整った。それによってスタイルが変わります。「深く掘る」ことができるようになった。そのあたりの事情を作家自身はこう回想しています。

「この小説を書き上げたとき、自分なりの小説スタイルを作りあげることができたという手応えがあった。また時間を気にせずに好きなだけ机に向かい、毎日集中して物語を書けるというのがどれくらい素晴らしいことなのか（そして大変なことなのか）、身体全体で会得できた。自分の中にまだ手つかずの鉱脈のようなものが眠っているという感触も得たし、『これなら、この先も小説家としてやっていけるだろう』という見通しも生まれた。」（『走ることについて語るとき

に僕の語ること』、文藝春秋、２００７年、51頁）

ここに出て来た「鉱脈」という言葉にご注意ください。村上春樹は書くという行為をつねに「坑夫が穴を掘る」というメタファーで語ります。これは書いている時の彼の身体的実感なんだろうと思います。もし「創造する」ということを比喩的に言いたいのなら、他にもいくつも言い方はあるはずです。「家を建てる」でも「橋を架ける」でも「野菜を育てる」でもいい。でも、そういうメタファーを村上春樹は一度も使ったことがない。つねに「穴を掘る」です。

作家は毎日日課として小説を書きます。小説制作の現場に「出勤」し、そこで一定時間、「穴を掘る」。金脈を探す鉱夫と同じです。日々穴は掘った分だけ深くなるけれど、鉱脈にはなかなか掘り当たらない。でも、いつか鉱脈に当たると信じて掘り続ける。

このスタイルを村上春樹はレイモンド・チャンドラーに学んだと書いています。チャンドラーのルールは次のようなものでした。1日決まった時間だけデスクのタイプライターの前に座る。そこで物語を書く。それ以外のことはしてはいけない。手紙を書いたり、本を読んだりしてはいけない。ただ、書く。書くことが思いつかなくても、そのままじっとタイプライターの前に座っている。一定時間が経ったら、切り上げる。続きはまた明日。

同じことを作曲家の久石譲さんからも聴いたことがあります。作曲家の場合は毎日まずピアノの前に座る。そして決まった練習曲を何度か弾いて、指の訓練をする。それが終わったら「曲想が降りてくる」のを待つ。降りて来たらそれを記譜する。降りてこない日はそのままじっと待っていて、決められた時間が来たら、ピアノの蓋をして立ち去る。そういうもののようです。

村上春樹はこの聖務日課的な作業についてこう書いています。

「生まれつき才能に恵まれた小説家は、何をしなくても（あるいは何をしても）自由自在に小説を書くことができる。泉から水がこんこんと湧き出すように、文章が自然に湧き出し、作品ができあがっていく。努力する必要なんてない。そういう人がたまにいる。しかし残念ながら僕はそういうタイプではない。自慢するわけではないが、まわりをどれだけ見わたしても、泉なんて見あたらない。鑿を手にこつこつと岩盤を割り、穴を深くうがっていかないと、創作の水源にたどり着くことができない。小説を書くためには、体力を酷使し、時間と手間をかけなくてはならない。作品を書こうとするたびに、いちいち新たに深い穴をあけていかなくてはならない。しかしそのような生活を長い歳月にわたって続けているうちに、新たな水脈を探り当て、固い岩盤に穴をあけていくことが、技術的にも体力的にもけっこう効率よくできるようになっていく。」（同書、64─65頁）

「穴を深くうがって」ゆくと、作家は「創作の水源」にたどり着く。村上春樹はそう書いています。さて、ここで言う「創作の水源」とはどのようなもののことなのでしょうか。長時間集中的に「物語を書く」という行為に没頭しているうちに鑿が「固い岩盤」を突き抜けて穴を穿った。いったい、そのときに作家は何に触れたのでしょう。それを村上春樹は「ある種の基層」と言い表しています。

「書くことによって、多数の地層からなる地面を掘り下げているんです。僕はいつでももっと深くまで行きたい。ある人たちは、それはあまりに個人的な試みだと言います。僕はそうは思いません。この深みに達することができれば、みんなと共通の基層に触れ、読者と交流することができるんですから。つながりが生まれるんです。もし十分遠くまで行かないとしたら、何も起こらないでしょう。」（「夢を見るために毎朝僕はめざめるのです」文藝春秋、２０１０年、１５５頁、強調は内田）

『羊めぐる冒険』を書いた時に、村上春樹はある「共通の基層」に触れた。それは世界文学の水脈のようなものだったのではないかと僕は思います。時代を超え、国境を越えて、滔々《とうとう》と流れている地下水流がある。それがさまざまな時代の、さまざまな作家たちを駆り立てて、物語を書かせてきた。それと同じ「水脈」を『羊をめぐる冒険』を書きつつある作家の鑿は掘り当てた。

というのは、『羊をめぐる冒険』を書かせた水脈は、それより前に、別の国で、別の作家に、別の物語を書かせていたからです。日本の文学の用語では「本歌取り」と言う技法があります。

営みとしてはあるいはそれに似ているのかも知れません。でも、和歌の場合と違うのは、作家は意識して「本歌取り」をしたわけではないということです。水脈に身を委ねて書いているうちにいつのまにか「そういう物語」を書いてしまっていた。『羊をめぐる冒険』の直前に同じ水脈から生まれた物語とは何か。直近の「本歌」はレイモンド・チャンドラーの『ロング・グッドバイ（*The Long Goodbye*）』（１９５３年）です。

私立探偵フィリップ・マーロウがミステリアスでチャーミングな飲み友達であるテリー・レノックスが彼の前から消えたときに彼から託された「依頼」を果たすためにさまざまな危険を冒し、それを果たし終えたときに、テリー・レノックスとの決定的な別離が訪れる。そういう物語です。

話型の構造で言えば、マーロウは「僕」で、レノックスは「鼠」です。レノックスと「鼠」は主人公の分身、アルターエゴです。このアルターエゴの特徴は、弱さ、無垢、邪悪なものに対する無防備、それらの複合的な効果としての不思議な魅力です。それはこう言ってよければ、主人公が「今のような自分」になるために切り捨ててきたものです。主人公たちを特徴づける資質は、自己規律、節度、邪悪なものに対する非寛容といった資質です。タフでハードな世界を、誰にも頼らずに生き抜くためには、それなしではいられないような資質です。

対照的な二人ですけれど、主人公とアルターエゴには共通する資質もあります。それは、無私と礼儀正しさです。女性に対するある種の魅力も主人公には備わっていますが、それはアルターエゴのそれほど劇的なものではありません。特に「礼儀正しさ」（decency）は二人を結びつける決定的な共通点です。絶妙な距離感といったらよいのでしょうか。親しみ深く接してくれるし、必要な時には必ず手を貸してくれることはわかっているけれど、決してある境界線を超えて接近して来ない。そういう両者の距離が二人を結びつけています。決して必要以上に近づいてこないことがわかっているので、安心して近くにいることができる。そういう関係です。ですから、適切な距離を取ることができなくなったとき、つまり一方が他方に依存したり、何かを依頼したとき、彼らの関係は終わります。『ロング・グッドバイ』では、テリー・レノックスがマーロウに殺人事件の事後従犯となりかねない危険な仕事を依頼し、マーロウがそれを引き受けることで二人の友情は事実上終わります。『羊をめぐる冒険』では「鼠」が最後に主人公にある仕事を依頼して、主人公がそれを果したときにふたりの友情は終わります。

『羊をめぐる冒険』の「本歌」は『ロング・グッドバイ』です。勘違いして欲しくないのですが、それは村上春樹がレイモンド・チャンドラーを「模倣した」ということではありません。物語を書いているうちに、登場人物たちがそのつどの状況で語るべき言葉を語り、なすべきことをなすという物語の必然性に従っていたら「そういう話」になってしまった。それだけこの物語構造は強い指南力を持っていたということです。

村上春樹は物語を書くときに、どういう話にするのか、何も決めずに書き始めると語っています。この言明はそのまま信じてよいと思います。物語には必然的な流れがある。ある「ピース」が次の「ピース」を呼び出す。そうやってピースとピースを繋いでいるうちに、形状記憶が再生されるように、ひとまとまりの物語が立ち上がってくる。書いている時には「次に何が起こるか、書く前には決してわからないのですか？」というインタビュアーの問いに村上春樹はこう答えています。

「わかりませんね。僕は即興性を大事にします。もし、物語の結末がわかっているなら、わざわざ書くには及びませんね。僕が知りたいのはまさに、あとにつづくことであり、これから起こるできごとなんです。ある種の物語は、ページをめくるたびごとにたえず進化しつづけるものですが、そんな本を僕は書きたいんです。」（同書、159頁）

作家が知りたいのは「あとにつづくこと」であり、「これから起こるできごと」です。作家はあらかじめ物語の結末を知っているわけではありません。作家はそれを知らないけれど、物語はそれを知っている。作家は物語に導かれるのです。そうしたら、『羊をめぐる冒険』は『ロング・グッドバイ』と「同じ話」になった。

でも、僕が知る限り、小説の発表時点で、そのことを指摘した人はいませんでした。もちろん、「同じ」なのは、二つの物語が結びつく、ある「基層」においてだけのことであって、それ以外のすべての層において二つはまるで別の物語です。でも、この「基層」において、『羊をめぐる冒険』は世界文学の「水源」に触れたのでした。というのは、『ザ・ロング・グッドバイ』にもまた「本歌」があったからです。それはスコット・フィッツジェラルドの『グレート・ギャツビー』（*The Great Gatsby*, 1925）です。

『ギャツビイ』の語り手ニック・キャラウェイとジェイ・ギャツビーの関係はフィリップ・マーロウとテリー・レノックスの関係と同じです。マーロウに比べて、ニックがあまりに弱々しく凡庸なので、この二つの「ペア」の相同性は見落とされがちですが、ニックはギャツビーの無垢、純粋さ、密やかな邪悪さ、自己規律の弱さを際立たせるために配されています。不実な恋人の犯した殺人の罪をかぶって「死ぬ」という奇妙な役どころをテリー・レノックスとジェイ・ギャツビーは共有しています。これほどの相似が偶然のものであるはずがありません。ただ、チャンドラーがフィッツジェラルドを意識的に模倣したのかどうか、それは僕にはわかりません。たぶん違うだろうと思います。この物語原型には作家たちを呼び寄せるそれだけの力があるのだという解釈の方を僕は選びたいと思います。

なぜ「この種の物語」は「複製」を生み出す力を持つのか。その問いに答える前に、もう一つ『グレート・ギャツビー』にも「本歌」があったということを指摘しておかなければなりません。それはアラン・フルニエの『グラン・モーヌ』（*Le Grand Meaulnes*, 1913）です。

語り手のフランソワ・スレルは15歳、彼を魅了するオギュスタン・モーヌは17歳。オギュスタンはフランソワのアルターエゴです。純粋で、無謀で、情熱的で、破滅的な弱さを隠し持っている魅力的な少年です。彼は一瞬の恋に燃え上がって、そのまま燃え尽きるようにフランソワの前から姿を消してしまいます。Le grand Meaulnes を英語で表記すれば The great Meaulnes となります。タイトルの相似からだけでも、二つの作品の関係を想定することができます。『グラン・モーヌ』がフランスでベストセラーになっていた時期にフィッツジェラルドはパリに滞在していました。フィッツジェラルドがフルニエのこの小説について何も知らなかったということはありえません。

『グラン・モーヌ』が1913年、『グレート・ギャツビー』が1925年、『ロング・グッドバイ』が1953年、そして『羊をめぐる冒険』が1982年。70年の間に「世界文学の傑作」に数えられる作品が4つ書かれました。ご存知の通り、村上春樹は『ロング・グッドバイ』と『グレート・ギャツビー』は自分でのちに翻訳を出しています。『グレート・ギャツビー』の「訳者あとがき」に村上春樹はこう書いています。

「もし『これまでの人生で巡り会ったもっとも重要な本を三冊あげろ』と言われたら、考えるまでもなく答えは決まっている。この『グレート・ギャツビー』と、ドストエフスキー『カラマーゾフの兄弟』と、レイモンド・チャンドラー『ロング・グッドバイ』である。」（スコット・

フィッツジェラルド、『グレート・ギャッビー』、村上春樹訳、中央公論新社、２００６年、３３３頁）
『ロング・グッドバイ』の「訳者あとがき」では、この二作品の相似について村上春樹は言及しています。
「僕はある時期から、この『ロング・グッドバイ』という作品は、ひょっとしてスコット・フィッツジェラルドの『グレード・ギャッビー』を下敷きにしているのではあるまいかという考えを抱き始めた。」（レイモンド・チャンドラー、『ロング・グッドバイ』、村上春樹訳、早川書房、２００７年、５４７頁）

村上はこの二人の作家の共通点として、アイルランド系であること、アルコールの問題を抱えていたこと、生計を立てるために映画ビジネスにかかわったこと、「どちらも自らの確かな文体を持った、優れた文章家だった。何はなくとも文章を書かずにはいられないというタイプの、生来の文筆家だった。いくぶん破滅的で、いくぶん感傷的な、そしてある場合には自己愛に向かいがちな傾向も持ち合わせており、どちらもやたらたくさん手紙を書き残した。そして何よりも、彼らはロマンスというものの力を信じていた。」（同書、５４７―５４８頁）といった気質的なものを列挙していますが、もちろんそれだけのはずがない。二つの物語には共通の構造があることも指摘しています。

「そのような仮説を頭に置いて『ロング・グッドバイ』を読んでいくと、その小説には『グレート・ギャツビー』と重なり合う部分が少なからず認められる。テリー・レノックスをジェイ・ギャッビーとすれば、マーロウは言うまでもな語り手のニック・キャラウェイに相当する。（……）ギャッビーもレノックスも、どちらもすでに生命をなくした美しい純粋な夢を（それらの死は結果的に、大きな血なまぐさい戦争によってもたらされたものだ）自らの中に抱え込んでいる。彼らの人生はその重い喪失感によって支配され、本来の流れを変えられてしまっている。そして結局は女の身代わりとなって死んでいくことになる。あるいは疑似的な死を迎えることになる。

マーロウはテリー・レノックスの人格的な弱さを、その奥にある闇と、徳義的退廃をじゅうぶん承知の上で、それでも彼と友情を結ぶ。そして知らず知らずのうちに、彼の心はテリー・レノックスの心と深いところで結びついてしまう。」（同書、550―551頁）

「主人公（語り手）はとくに求めもしないまま、一種の偶然の蓄積によって、いやおうなく宿命的にその深みにからめとられていくのだ。それではなぜ彼らはそのような深い思いに行き着くことになったのだろう？　言うまでもなく、彼ら（語り手たち）はそれぞれの対象（ギャッビーとテリー・レノックス）の中に、自らの分身を見出しているからだ。まるで微妙に歪んだ鏡の中に映った自分の像を見つめるように。そこには身をねじられるような種類の同一化があり、激しい嫌悪があり、そしてまた抗しがたい憧憬がある。」（同書、553頁）

この解釈に僕は付け加えることはありません。でも、村上春樹はこの「語り手」と「対象」の鏡像関係がそのまま『羊をめぐる冒険』の「僕」と「鼠」のそれであることについては言及していません。故意の言い落としなのか、それとも気づいていないのか。たぶん、気づいていないのだと思います。でも、どちらであれ、それは『羊をめぐる冒険』という作品が世界文学の鉱脈に連なるものであるという文学史的事実を揺がすことではありません。

むしろ重要なのは、なぜこの物語的原型がさまざまな作家たちに「同じ物語」を書かせるのかというより本質的な問いの方です。

これについての僕の解釈は、これらはどれも「少年期との訣別」を扱っているというものです。

男たちは誰も人生のある時点で少年期との訣別を経験します。「通過儀礼」と呼ばれるそのプロセスを通り過ぎたあとに、男たちは自分がもう「少年」ではないこと、自分の中にかつてあった無垢で純良なもの、傷つきやすさ、信じやすさ、優しさ、無思慮といった資質が決定的に失われたことを知ります。それを切り捨てないと「大人の男」になれない。そういう決まりなのです。けれども、それは確かに自分の中にあった自分の生命の一部分です。それを切除した傷口からは血が流れ続け、傷跡の痛みは長く消えることがありません。ですから、男子の通過儀礼を持つ社会集団は「アドレッセンスの喪失」がもたらす苦痛を癒すための物語を用意しなければならない。それは「もう一人の自分」との訣別の物語です。弱く、透明で、はかなく、無垢で、傷つきやすい「もう一人の自分」と過ごした短く、輝かしく、心ときめく「夏休み」の後に、不意に永遠の訣別のときが到来する。それは外形的には友情とその終わりの物語ですけれど、本質的にはおのれ自身の穏やかで満ち足りた少年期と訣別し、成熟への階梯を登り始めた「元少年」たちの悔いと喪失感を癒すための自分自身との訣別の物語なのです。

もちろんすべての男たちがそのような物語を切望しているわけではありません。そのような物語をとくに必要としない男たちもいます。「成熟しなければならない」という断固たる決意を持つことのなかった男たちはおのれの幼児性をそのままにひきずって外形的にだけ大人になります。私たちのまわりにもたくさんいます。外側は脂ぎった中年男であったり、不機嫌そうな老人であったりするけれど、中身は幼児のままという男はいくらでもいます。彼らは「アドレッセンスの喪失」を経験していないので、その喪失感を癒すための物語を別に必要とはしていません。

たぶん現代の世界ではもうどこの国でも「男は成熟しなければならない」という成熟への加圧は十分には働いていないのでしょう。ですから、このような物語に対する社会的需要がいつまで持続するかは予測がつきません。あるいはもうこの先このような物語は書かれないかも知れません。少なくとも日本語で書かれたものを徴する限りでは、『羊をめぐる冒険』からあと、これを「本歌」とする物語が書かれたことを僕は寡聞にして知りません。

系譜の話は以上です。次に構造の話をします。そして、先ほども申し上げたように、この二つは実は同じことを別のアプローチで述べるものです。

村上春樹は小説を書くという行為についてほとんど排他的に「穴を掘る」という比喩を使うとさきほど申し上げました。でも、別の比喩も使います。それは「地下二階」あるいは「井戸の底」におりるという比喩です。地下室の下に別の地下室がある。

「人間の存在というのは、二階建ての家だと僕は思っているわけです。一階は人がみんなで集まってごはん食べたり、テレビ見たり、話したりするところです。二階は個室や寝室があって、そこに行って一人になって本を読んだり、一人で音楽聴いたりする。そして、地下室というのがあって、ここは特別な場所でいろんなものが置いてある。（……）その地下室の下にはまた別の地下室があるというのが僕の意見なんです。それは非常に特殊な扉があってわかりにくいので普通はなかなか入れないし、入らないで終わってしまう人もいる。ただ何か拍子にフッと入ってしまうと、そこには暗がりがあるんです。（……）その中に入っていって、暗闇の中をめぐって、普通の家の中では見られないものを人は体験するんです。それは自分の過去と結びついていたりする、それは自分の魂の中に入っていくことだから。でも、そこからまた帰って

くるわけですね。あっちに行っちゃったままだと現実に復帰できないです。」（『夢を見るために……』、98頁）

作家とは地下二階に降りて、そこからまた帰ってくることのできる特殊な技能を具えた職能民であるというのが村上春樹の考え方です。「そういうこと」ができるのは別に物語を書く人に限られません。「自分の過去」に遡り、「自分の魂の中に」入り、そこで見聞きしたことを物語ることを本務とした人はたくさんいます。すべてのシャーマンたちがそうです。稗田阿礼のように口碑を口伝する人たちもそうですし、ホメロスのように叙事詩を暗誦する吟遊詩人たちもそうですし、「民族精神（フォルクスガイスト）」を称揚する作家たちもそうです。彼らがしていることは一言で言えば、死者たちと出会うことです。死者たちからの「贈り物」を受け取ることです。それは必ずしも心安らぐ経験ではありません。

「たとえば、『海辺のカフカ』における悪というものは、やはり、地下二階の部分。彼が父親から遺伝子として血として引き継いできた地下二階の部分、これは引き継ぐものだと僕は思うんです。多かれ少なかれ子どもというのは親からそういうものを引き継いでいくものです。呪いであれ、祝福であれ、それはもう血の中に入っているものだし、それは古代まで遡っていけるものだというふうに僕は考えているわけです。（……）そこには古代の闇みたいなものがあり、そこで人が感じた恐怖とか、怒りとか、悲しみとかいうものは綿々と続いているものだと思うんです。（……）根源的な記憶として。カフカ君が引き継いでいるのもそれなんです。それを引き継ぎたくなくても、彼には選べないんです。」（同書、115頁）

地下二階に降りた人々はそこで「古代の闇」のうちに踏み入ることになります。そして、それを「引き継ぐ」。その闇から戻ってきて、それを物語る。そこでの経験は学術的な説明を受け付けるものではありませんし、主題的に論じることもできません。ただ物語るしかない。「そこで人々が感じた恐怖とか、怒りとか、悲しみとかいうもの」は、いまも連綿と引き継がれて、現に私たちの感情生活を形成し、私たちのコスモロジーの梁《はり》をかたちづくり、私が世界を見る仕方そのものを規定しているからです。「古代の闇」はそのまままっすぐ「現代の闇」に繋がっています。闇の中に踏み入った者はそこで何を見ることになるのか。

「暗闇に侵入したあなたはそのとき恐ろしくなるでしょうが、また別のときにはとても心地よく感じるでしょう。そこでは、奇妙なものをたくさん目撃できます。目の前に形而上学的な記号やイメージがつぎつぎに現れるんですから。それはちょうど夢のようなものです。無意識の世界の形態のようなね。けれどもいつか、あなたは現実世界に帰らなければならない。そのときは部屋から出て、扉を閉じ、階段を昇るんです。（……）僕にとって、この空間の中にいるのはとても自然なことで、それらのものはむしろ自然なものとして目に映ります。こうした要素が物語を書くのをたすけてくれます。作家にとって書くことは、ちょうど目覚めながら夢を見るようなものです。それは、論理をいつ介入させられるとはかぎらない。法外な経験なんです。夢を見るために毎朝僕は目覚めるのです。」（同書、156―157頁）

この箇所を読んだときに、多くの読者は『騎士団長殺し』の後半で「私」が雨田具彦のいる老人養護施設の床に穿たれた穴から潜り込んでいった「メタファー通路」での経験を思い出すことでしょう。あるいは『海辺のカフカ』でカフカ少年が踏み込んでゆく「森の中核」での経験を。そこに描かれている一連の説明不能のものは、作家が文学的効果を狙って技巧的にしつらえた装飾的なミスティフィケーションではなく、おそらく作家が「目覚めながら見た夢」なのだと思います。それが何を意味するのかは書いている作家自身わからない。それが何を意味するのかを知りたいからこそ作家は書いている。そういうことだと思います。

この闇の中に下ってゆき、また戻ってくる物語、「冥界下り」という物語もまた、人類の歴史と同じだけ長い系譜を有するものです。でも、ここでは日本の近世文学以降に時代を限って、その系譜をたどってみたいと思います。

先の引用中で「古代の闇」と言われたものを別のところで村上春樹は「前近代の闇」と言い換えています。日本の近代文学が否定し去ったものです。そして、自分自身はその闇を語るという点で上田秋成の直系に連なるということを認めています。

「『雨月物語』なんかにあるように、現実と非現実がぴたりときびすを接するように存在している。そしてその境界を超えることに人はそれほどの違和感を持たない。これは日本人の一種のメンタリティーの中に元来あったことじゃないかと思うんですよ。それをいわゆる近代小説が、自然主義リアリズムということで、近代的自我の独立に向けてむりやり引っぱがしちゃったわけです。個別的なものとして、『精神的総合風景』とでもいうべきものから抜き取ってしまった。」（同書、93―94頁）

近現代の文学においてももちろん「非現実」は描かれます。けれどもそれはあくまで現実から切り離された、一種の文学的意匠であり、作中で登場人物が見る夢とか幻想とかあるいは劇中劇とか誰かが書いたファンタジーというような「額縁」がつけられており、現実と非現実が境界を越えて、同じ次元で混ざり合うことには厳重な方法的抑制が課されています。しかし、村上春樹は自由にこの境界線を行き来することこそが日本文学の骨法ではないかという大胆な仮説を語ります。

『海辺のカフカ』の中の「非現実的」な登場人物について村上春樹はそれは「存在する」と書いています。

「僕が読者に伝えたかったのは、カーネル・サンダースみたいなものは実在するんだということなんです。彼は必要に応じて、どこからともなくあなたの前にすっと出て来るんだ、ということ。それこそタンジブルなものとして、そこにあるんです。手を延ばせば届くんです。僕

は彼を立ち上げて、彼について書くことを通して、そういう事実を読者に伝えたいわけです。」（同書、127―8頁）

「僕の場合は、（……）そういう現実と非現実の境界のあり方みたいなところにいちばん惹かれるわけです。日本の近代というか明治以前の世界ですね。（……）日本の場合は自然にすっと、こっち行ったりあっち行ったり、場合に応じて通り抜けができるんだけれど、ギリシャ神話なんかの場合は、本当に自分の考え方とか存在の在り方の組成をガラッと変換させないと向こう側の世界に行けない。」（同書、94頁）

東洋と西洋では現実と非現実を隔てる「壁の厚さ」が違う。このことに村上春樹の自らの文学的立場についての自覚が現れます。

「日本や中国では、並行する二つの世界があって、そのあいだにある架け橋が、一方の世界から他方の世界への移動を難しくしすぎないようにしている、と考えられています。西洋ではそんなわけにはいきませんよね。この世界はこの世界、あの世界はあの世界、といった具合になっています。分離は厳格です。乗り越えるにしては、壁はあまりにも高すぎ、あまりにもしっかりしています。しかしアジア文化は違うんです。僕が思うに、〈もののあわれ〉が描いているのは、こうした状況です。」（同書、157―158頁）

村上春樹はここで唐突に「もののあはれ」という古典文学の美的概念を持ち出してきました。

僕はこれは直接には『源氏物語』のことを指しているのだと思います。『源氏物語』というのは「こうした状況」、つまり二つの世界の間にかなり自由な行き来がなされる状況の物語ではないか。そして、それこそが日本文学の正系につらなる物語ではないのか。

村上春樹はかつて河合隼雄にこんな質問を向けたことがありました。

「村上　あの源氏物語の中にある超自然性というのは、現実の一部として存在したものなんでしょうかね。

河合　どういう超自然性ですか？

村上　つまり怨霊とか……

河合　あんなのはまったく現実だとぼくは思います。

村上　物語の装置としてではなく、もう完全に現実の一部としてあった？

河合　ええ、もう全部あったことだと思いますね。だから、装置として書いたのではないと思います。」（『村上春樹、河合隼雄に会いにいく』、岩波書店、１９９６年、１２３―１２４頁）

この対談があった時点（１９９５年）では村上春樹は自分の作品の中で、境界を越えて非現実が侵入してくることは、一種の「装置」、一種の文学的技巧ではないのか（でも、そんなはずはない）という揺らぎのうちにあったことが言葉づかいからは窺えます。でも、このときの「あんなのはまったく現実だとぼくは思います」という河合隼雄の断定でふっきれた。

それは『源氏物語』の中の怨霊の物語が、それからのちに村上春樹のいくつかの作品に意匠を換えて繰り返し登場してくることからも知れます。六条の御息所の生霊が葵上を祟り殺すというのは『源氏物語』の中で最もカラフルな怨霊物語ですけれど、これは六条の御息所という高貴な女性が「嫉妬」という筋目の悪い感情を抱くことを拒絶したことから起こる惨劇です。

これに物語的にもっとも近いのは短編集『女のいない男たち』に収録されている「木野」です。

木野は「会社でいちばん親しくしていた同僚と妻が関係を持っていたことがわかった」ときにひとり家を出て、会社も辞めます。そして伯母から青山の小さな喫茶店を譲り受けて、オーディオ装置に凝ったジャズバーを始めます。

「別れた妻や、彼女と寝ていたかつての同僚に対する怒りや恨みの気持ちはなぜか湧いてこなかった。もちろん最初のうちは強い衝撃を受けたし、うまくものが考えられないような状態がしばらく続いたが、やがて『これもまあ仕方ないことだろう』と思うようになった。結局のところ、そんな目に遭うようにできていたのだ。」（「木野」、『女のいない男たち』、文藝春秋、2014年、221頁）

木野は「怒りや恨み」を感じません。「痛みとか怒りとか、失望とか諦観とか、そういう感覚も今ひとつ明瞭に知覚できない」（同書、221頁）まま日を過ごすうちに、木野のまわりに異変が起こり始めます。客同士の陰惨なトラブルがあり、体中に煙草の焼け跡のある女と交わり、開店のときに「良い流れ」を運んできてくれたように思えた猫が姿を消し、邪気を帯びた蛇たちが姿を見せ始めます。そして、ある日店の「守護者」の役割を果たしていたカミタという客から店を閉めるように忠告されます。木野はその忠告をこう解釈します。

「カミタさんが言うのは、私が何か正しくないことをしたからではなく、正しいことをしなかったから、重大な問題が生じたということなのでしょうか？　この店に関して、あるいは私自身に関して」（同書、２４８頁、強調は村上）

　木野はカミタの忠告に従って旅に出ますが、「カミタに固く禁じられていた」私信をしたためるという禁忌を犯したせいで深夜のホテルの部屋に執拗なノックの音を呼び寄せてしまいます。そのとき木野は自分が何を招き寄せたのかを知ります。

「『傷ついたんでしょう、少しくらいは？』と妻は僕に尋ねた。『僕もやはり人間だから、傷つくことは傷つく』と木野は答えた。でもそれは本当ではない。少なくとも半分は嘘だ。おれは傷つくべきときに十分に傷つかなかったんだ、と木野は認めた。本物の痛みを感じるべきときに、おれは肝心の感覚を押し殺してしまった。痛切なものを引き受けたくなかったから、真実と正面から向かい合うことを回避し、その結果こうして中身のない虚ろな心を抱き続けることになった。」（同書、２５６―２５７頁、強調は村上）

物語は木野が「そう、おれは傷ついている、それもとても深く」（同書、261頁）と認めたところで救いの予感のうちに終わります。

傷つくべきときに十分に傷つき、痛切なものを引き受けること。それが怨霊を解き放たないためには必要なことだったのでした。六条の御息所がその引き受けを拒絶した「妬心」は人一人を殺すほどの現実的な力を持ちました。木野がその引き受けを拒絶した「妬心」は彼自身に戻ってきます。

この物語を書きながら村上春樹は自分が『源氏物語』の世界と地続きの文学的風土のうちにいることに十分に自覚的だったと僕は思います。

村上春樹が過去の日本人作家としてはっきりとした「地続き」感を持っているのは上田秋成です。そのことは作家自身がいくどか書いています。

そして、まったく別の文脈においてですが、江藤淳は、上田秋成の文学の本質は「闇」のうちにあるという指摘をしています。

秋成もまた現実と非現実の境界を行き来する経験を書き続けた作家でした。秋成は現実にはそこに存在しないにもかかわらず、濃密な実在感をたたえ、人間の生き死ににかかわるもののことをかつて「狐」と呼びました。狐憑きの狐、人をたぶらかす妖獣です。そういうものが秋成の時代の人々の日常生活のうちにはたしかなリアリティを持って存在していた。けれども、当時でも、知識人たちは妖怪狐狸についての物語を荒唐無稽《こうとうむけい》と一蹴しました。彼らの見るところ「狐憑き」はただの精神病に過ぎません。その中にあって、秋成はあえて「狐」を擁護する立場を貫きました。その秋成の立ち位置について江藤淳はこう書いています。

「儒者の眼に見えるのは、病気という概念であって、『狐』という非現実の現存がもたらす圧力ではない。しかし、いったんアカデミイの門を出てみれば、『うきよ』に顔をのぞかせるのはつねに概念ではなくて、『狐』に憑かれた人間の奇怪な、しかし秩序の拘束のなかにいる『精神（ココロモチ）平常』なときにはたえてみられないほど濃い実在感に満ちた姿態である。あるいはまた、どうしても認めざるを得ない非現実の世界からのさまざまな信号である。」（江藤淳、『近代以前』、文藝春秋、１９８５年、２３８頁）

秋成自身はありありと「狐」の実在を感じました。学者や常識人がどれほど否定しても、市井の人々が現にその切迫を感じ、「非実在の現存がもたらす圧力」を受け止めたり、それから身をかわしながら現に日々の生活を送っているという事実は揺るぎません。

「誰の眼にも見えぬこの動物ほど濃い実在感をあたえるものを、秋成は外界の現実のなかにひとつもみとめることができなかった。」（同書、２４０頁）

「狐」は秋成が彼の地下二階で出会った「奇妙なもの」の別称です。その地下の「闇」のうちで「人が感じた恐怖とか、怒りとか、悲しみ」、その「根源的な記憶」を作品に写し出したときに『雨月物語』という作品が生まれました。それはもしかすると東洋人の作家にしかうまく書くことのできない物語だったのかもしれません。その「闇」には太古からこの地で生き死にした無数の人々の記憶が埋蔵されているからです。

そして、江藤淳は日本語について、こう書いています。

「それは、現在までのところ沖縄方言以外に証明可能な同族語を持たぬとされている特異な孤立言語であり、時代によって、あるいは外来文化の影響をうけてかなりの変化を蒙って来てはいるが、なお一貫した連続性を保って来たものである。しかもそれは虚体であって実体ではない。ということは、私はそれを自分の呼吸のようなものとして、あたかも呼吸が自分の生存と存在の芯に結びついているように自分の存在の核心にあるものとして、信じるほかないということだ。」（同書、23〜24頁）

たしかに私たちは外国語によって対話することはできますし、ある程度リーダブルな文章を書くこともできます。でも、よほど例外的な才能を除いては、外国語によって文学的な「創造」をすることはできません。それは母語によってしかできない。私たちは母語を糧として生きています。その無尽蔵のアーカイブから、私たちは死者たちの脳裏にかつて一度も浮かんだことのない思念や、死者たちの舌にかつて一度も乗ったことのない言葉を掘り起こしてくることができます。母語のアーカイブの深みのうちで、私たちは（レヴィナスの言葉を借りて言えば）

「一度も現在になったことのない過去」に出会うのです。

私たちが「新語」を作ることができるのは母語においてだけです。「新語」とはただの新しい単語のことではありません。それを口にしたときに、他の母語話者たちが、はじめて聞くその新しい語の新しい意味とそのニュアンスを瞬時に了解できるという条件を満たさなければなりません。そのような曲芸的なことを私たちは母語においてしか実行できません。どれほど流暢に話せても、外国語で新語を作ったり、その場で思いついた文法的な破格や意図的な誤用や新しい音韻のニュアンスを周囲の人たちに瞬時に理解させることはできません。それは母語においてのみ可能なわざだからです。それが可能なのは、現に用いている言語の基層に、その何万倍もの奥行きと深みを持つ「死者たちと共有する言語」のアーカイブが存在しており、私たちはそれを利用することが許されているからです。こう言ってよければ、死者たちと言語を共有しているからこそ言語による創造が可能になるのです。

村上春樹は長く海外で生活をしており、執筆も海外でしていました。けれども『ねじまき鳥クロニクル』を書き上げたときに日本に帰ることを決意します。

「どうしてだかわからないけれど、『そろそろ日本に帰らなくちゃなあ』と思ったんです。最後はほんとうに帰りたくなりました。とくに何が懐かしいというのでもないし、文化的な日本回帰というのでもないのですが、やっぱり小説家としての自分のあるべき場所は日本なんだな、と思った。
　というのは、日本語でものを書くというのは、結局思考システムとしては日本語なんです。日本語自体は日本で生み出されたものだから、日本というものと分離不可能なんですね。そして、どう転んでも、やはり僕は英語では小説は、物語は書けない。それが実感としてひしひしとわかってきた、ということですね。」（『村上春樹、河合隼雄に会いにいく』、37―38頁）

　江藤淳はプリンストン大学で日本文学を講じた時期がありました。アメリカでの生活を通じて、英語で話し、英語で書き、英語で考えることに慣れたあとに、江藤は日本語という「沈黙の言語」の外では自分は創造ができないということに気づきます。

「思考が形をなす前の淵に澱むものは、私の場合あくまでも日本語でしかない。語学力は習慣と努力によってより完全なものに近づけられるかも知れない。（……）しかし、言葉は、いったんこの『沈黙』から切りはなされてしまえば、厳密には文学の用をなさない。なぜなら、この『沈黙』とは結局、私がそれを通じて現に共生している死者たちの世界―日本語がつくりあげて来た文化の堆積につながる回路だからである。このような言葉の世界に『近代』と『近代以前』の人為的な仕切りを設けることは不可能である。私はむしろ連続を問題にしなければならない。」（江藤淳、前掲書、29―30頁、強調は内田）

　この文章を書いたときの江藤淳はその五十年後に「近代と前近代の人為的な仕切り」を軽々

と越境する作家が登場して、全世界に読者を獲得することをまだ知りません。でも、まさに「地下二階」の闇のうちに踏み込むことを自らの文学的方法として自覚した作家の登場によって、江藤の文学的直感の正しさは論証されることになったのでした。

以上、村上春樹文学の系譜と構造について、僕自身のアイディアのいくばくかをお話ししました。最初に申し上げた通り、これらのアイディアはとくに学術的に厳密なものではありません。ですから、僕はこれを「定説」として頂きたいというような無法なことを願っているわけではありません。僕の願いは、こういうアイディアを耳にした人たちがそれに触発されて、村上春樹作品の「新しい読み」を思いついてくれること、それによってこの作家の書く物語からできるだけ多くの愉悦と、そしてできることならいくばくかの癒しを引き出すことに尽くされます。

（淡江大学（台湾）村上春樹研究センター講演２０１７年４月14日）

境界線と死者たちと狐のこと

小説を論じるときに「主題は何か？」というような問いから始まるアプローチはずいぶん時代遅れのものだ。私の定かならぬ記憶では、１９６０年代の批評理論によって「主題」や「作者の意図」を論じる批評にはすべて死刑宣告が下された。テクストは作者から自立しており、それはポリフォニックな間テクスト性の戯れの場なのである云々。そういう言葉を私たちはずいぶん読まされてきた。

それでも相変わらず「作者はこの作品を通じて何が言いたいのか？」という問いは作品を論じるときの最優先の地位をいまだ譲っていない。これはたぶんに著作権というものの現実的効果なのだろう。作品の生み出す経済的価値を専一的に享受する「オーサー」はテクスト理論がいかに否定しても、法律上厳然と存在している。作品がたくさん売れると経済的利益に与る人間がいるのだとすれば、作品はある種の「商品」だということになる。そうであるなら、作者は当然ながらおのれに利益をもたらす商品についての「製造責任」を負わねばならぬ。スペックを公開し、製造過程を明らかにし、賞味期限や「使用上の注意」も開示しなければならない。

高踏的な批評理論も最終的にはこのビジネスモデルの前に屈服してしまった。今回の村上春樹の新刊発売についても、書評より先にまず発行部数についてのニュースが大きく報じられた。「爆発的に売れている新商品」という扱いである。そうであるなら、「この商品にはどんな価値や有用性があるのか？」という問いが続くのは自明のことである。

だから、どれだけ死刑宣告をされても、製造者に製造責任を問うタイプの批評はエンドレスで続く。今でも書評家たちはまず「村上春樹はこの新刊を通じて何を言いたいのか？」という問いから始める。作家はこの作品の「材料」をどこから集めてきたのか？それを処理する「方法」はどのような技法的伝統に連なるのか？これまでの他の作品とこの「新製品」はどう差別化されるのか？あるいはマーケティングの用語を借りた「この作品のターゲットはどのような層か？」「この作品のどの点が消費者たちの欲望に点火するのか？」などなど。

村上春樹が大嫌いで、頭から批判的に彼の小説を読む人たちもまたそれとは逆のしかたで定型的な問いに縛り付けられている。「この作品が構造的に見落としているものは何か？」「作者はそれと知らずにどのような臆断やイデオロギーを内面化しているか？」「どのような歴史的制約ゆえに作者はこのようにしか書けなかったのか？」などなど。

いずれの場合も、作品は作者の「所有物」であり、（意識的であるか無意識的であるかにかかわらず）その「自己表現」であり、それゆえに作者には作品に対する「製造者責任」があるという前提は揺るがない。

私は今回、懐かしい60年代の批評理論に立ち戻って、もう一度だけ「作者は作品に対して責任がない」という立場からこの作品を読んでみたいと思う。

作者は作品に先立って「何か書きたいこと」があって書き始めたわけではない。政治的信条であれ、宗教的信念であれ、審美的価値であれ、個人的なトラウマであれ、そういう「核」になるものが作者の中に先行的にあって、それがある技術的な手続きを経て言語表現として「発現」したわけではない。そう考えることにする。これはあくまでひとつの仮説である。たまにはそういう仮説に立って作品を読んでみるのもいいんじゃないかという程度のカジュアルな仮説である。

村上春樹は日課的に小説を書いている。これはエッセイやインタビューで、本人が繰り返し証言していることである。鉱夫が穴を掘るように、作家は毎日小説制作の現場に「出勤」し、そこで一定時間、穴を掘る。金脈を探す鉱夫と同じように。日々穴は掘った分だけ深くなるけれど、鉱脈にはめったに掘り当たらない。何十日も掘り続けたが、何も出なかったということもたぶんあるのだろう。でも、いつか鉱脈に当たると信じて、作家は掘り続ける。

「小説を書くためには、体力を酷使し、時間と手間をかけなくてはならない。作品を書こうとするたびに、いちいち新たに深い穴をあけていかなくてはならない。しかしそのような生活を長い歳月にわたって続けているうちに、新たな水脈を探り当て、固い岩盤に穴をあけていくことが、技術的にも体力的にもけっこう効率よくできるようになっていく。」（『走ることについて語るときに僕の語ること』）

無住の土地を歩いて、だいたい「当たり」をつける。そして「手慣れた工具」を使って、とりあえず足元の岩を砕いてゆく。毎日がりがり掘る。水脈が近づいてくるとちょっと空気が変わる。何か脈動しているものに接近しているのがわかる。鼓動が速くなる。体温が上がる。あるとき岩盤に亀裂が走り、そこから「何か」が湧出してくる。「それ」を掬《すく》い上げる。でも、持ち出せる量には限界がある。自分の手持ちの「器」に入るだけしか持ち帰ることはできない。「器」が一杯になったら、すばやく穴を出て地上に戻る。あまり長い時間「水脈」の近くにとどまり続けることはできない。なぜかはわからないが、そこには何か人間的スケールを超えたものがあり、それに身をさらし続けることはときに命にかかわることもあるからだ。

村上は別のところではこの岩盤の下にあるものを「地下二階」というメタファーも使って説明している。地下室の下の別の地下室。

「それは非常に特殊な扉があってわかりにくいので普通はなかなか入れないし、入らないで終わってしまう人もいる。ただ何か拍子にフッと入ってしまうと、そこには暗がりがあるんです。(……)その中に入っていって、暗闇の中をめぐって、普通の家の中では見られないものを人は体験するんです。それは自分の過去と結びついていたりする、それは自分の魂の中に入っていくことだから。でも、そこからまた帰ってくるわけですね。あっちに行っちゃったままだと現実に復帰できないです。」(『夢を見るために毎朝僕は目覚めるのです』)

その暗闇のことを村上は「前近代の闇」というふうにも言っている。近代人が「なかったこと」にしている闇の部分。そこにアクセスして、戻って来ることができる特殊な技能者が作家である。村上春樹はそういうふうに考えている。そういう点では、現代の作家も中世における巫《ふ》覡《げき》祝《ほうり》部《べ》や遊行の芸能者とそれほど違うことをしているわけではない。巫女や遊行の「物狂い」に向かって「あなたはそれによってどのような自己表現をなそうとしているのか?」とか「どのような方法論的自覚をもってその芸をなしているのか?」と問う人はいない。同じように作家についても、方法論や前衛性のことはわきに措いて、その物語においてはどのような「闇」が戦慄的に開示されるのか、そのことだけに関心を集中させてもよいのではあるまいか。彼は「地下二階」で何を見てきたのか、それを問うてもよいのではあるまいか。

私はそのような立場から村上春樹の『色彩を持たない多崎つくると、彼の巡礼の年』（文藝春秋、2013年）を読んだ。そして、それが上田秋成の『雨月物語』の直系の系譜につらなる怪異譚であり、読者が覗き込むことになる「闇」は『吉備津《きびつ》の釜』や『浅茅《あさじ》が宿』を読んだときに私たちが覗き込むことになる「闇」とほとんど同質のものだという仮説を得た。それについて述べたいと思う。

村上春樹が上田秋成の直系の後継者であるという仮説は、おそらくすでに指摘している人がいると思うけれど、これは作家自身の選好を知れば誰にでもなしうる推理である。村上春樹はかつて『雨月物語』についてこんな評言を述べた。

「現実と非現実がぴたりときびすを接するように存在している。そしてその境界を超えることに人はそれほどの違和感を持たない。これは日本人の一種のメンタリティーの中に元来あったことじゃないかと思うんですよ。」（同書）

この文学的伝統は「自然主義リアリズム」によって途絶させられてしまった。現実と非現実の「通り抜け」という、近世まで日本人にとって自明の心的現象だったものを「近代的自我の独立に向けてむりやり引っぺがし」たことに村上はかなり腹を立てている。

作家はこの「非現実と現実の境界」を行き来することのできる特権的な技能者であり、同時にその境界線の「守り手」（センチネル）である。センチネルが要請されるのは、「向こう側」から到来するものは、定義上人間的な度量衡によって意味や価値を考量することのできないものであり、それが人を深く損ない、傷つけ、ときには殺すことさえあるからである。

村上春樹は境界線をめぐる物語を繰り返し書いてきた。あるときは「不意に壁の向こうに抜けて、二度と戻ってこなかった人」たちをめぐる物語として（『ノルウェイの森』、『ダンス・ダンス・ダンス』、『国境の南、太陽の西』、『スプートニクの恋人』など）。あるときは壁の向こうから私たちの世界に浸入してくる「邪悪なもの」を押し戻す仕事を引き受けた「センチネル」の物語として（『羊をめぐる冒険』、『かえるくん、東京を救う』、『ねじまき鳥クロニクル』、『世界の終わりとハードボイルドワンダーランド』、『アフターダーク』など）。いずれの場合でも、物語は「境界線を越えるもの」をめぐって展開する。

「越境して立ち去ったもの」は村上の物語では誰一人戻ってこない。取り残されたものは、なぜ彼／彼女が消え去ったのか、ついにその理由を知らされない。でも、知りたい。だから、境界線の際まで行ってみる。それでも、越境者が立ち去った理由はついに開示されない。そのことが主人公に深い傷を残す。けれども、その代償に、主人公は成熟の階梯を一つだけ上り、この根源的に無意味な世界にかろうじて残された「ささやかだけれどたいせつなもの」を愛することを学ぶ。これは村上文学のほとんど全部の物語に共通している説話構造である。

かつて村上文学を評して「構造しかない」と切り捨てた批評家がいたが、この評言はなかば正しい。たしかに村上文学はこの説話的構造を繰り返し語っており、それによって「人間が住むことができる世界」を基礎づけようとしているからである。

私が村上春樹を上田秋成の系譜に位置づけるのは、秋成もまたありありと「地下二階」を感じ、境界線を行き来するものを描き続けた作家だからである。

上田秋成は彼が濃密な実在感を感じた「非実在」をかつて「狐」と呼んだことがある。狐憑きの狐である。人をたぶらかす妖獣である。そういうものが秋成の時代の人々の日常にはたしかにリアリティをもっていた。だが、当時の朱子学の世界像の中には妖怪狐狸、魑魅魍魎《ちみもうりょう》のための場所はなかった。「狐憑き」を学者たちはただの「癇《かん》」の病として切り捨てた。だが、秋成はあえて「狐」を擁護する立場をとった。その消息を江藤淳はかつてこう説明した。

「誰の眼にも見えぬこの動物ほど濃い実在感をあたえるものを、秋成は外界の現実のなかにひとつもみとめることができなかった。」（『近代以前』）。

そして、アカデミイが一笑に付すこの実感に殉じる決意をしたときに『雨月物語』の作家が誕生した。それは秋成が見出した物語の「水脈」であった。この集団的な文化の古層から『雨月物語』の諸篇が湧き出してきたのである。

秋成の擁護した「狐」とは「私がそれを通じて現に共生している死者たちの世界―日本語がつくりあげて来た文化の堆積につながる回路」のことだと江藤は言う。だから、もし、日本人の作家が文学的創造において余人を以ては代替しえないような達成を果たしたいと願うなら（つまり、「世界文学」をめざすなら）わがうちなる「狐」をみつめ、「狐」をめぐる物語を紡ぐしかない。江藤はそう考えた。江藤淳がこの文章を書いている時点（1960年代はじめ）において、50年後に秋成の系譜を引き継ぐ作家が登場し、世界的な名声を博することになるとはその慧眼《けいがん》をもってしても予見することはできなかっただろう。

指定の紙数が尽きたが、まだ新刊そのものの内容について触れていない。申し訳ないが、あとは駆け足で、一読して思いついたことを列挙しておく。

本作の「本歌」があるとすれば、それは秋成の『吉備津の釜』であろう。『吉備津の釜』は女の嫉妬が実体化して、男を喰い殺す物語である。裏切られた妻磯良《いそら》の死霊は夫正太郎の背信を憎んで不貞の相手である袖をまず衰弱死させ、ついで夫を襲う。本作では時間の構成が逆になっていて、主人公「多崎つくる」が二十歳のころに死にもっとも近づいた経験から物語は始まる。「つくる」は死の息が顔にかかるところまで行って、生きて戻って来る。彼はその傷から長い時間をかけて回復した。けれども、彼には自分をそこまで追い込んだものが「何か」はついにわからなかい。その経験（というより「経験の欠如」）から組織的に目を背けているせいで人格が形成されるような経験のことを「トラウマ」と呼ぶ。沙羅という新しいガールフレンドは「つくる」に彼自身のトラウマを直視せよと告げる。その忠告に従って、何が自分を死の淵まで追い詰めたのかを探す旅に「つくる」は出かける。その旅はついには遠くフィンランドの郊外にまで彼を連れ出すことになるが、最後に彼が見出したのは、「非現実の現存がもたらす圧力」だった。効果だけがあって実在がないもの、秋成のいう「狐」が「つくる」を殺しかけたものの正体（というより「正体の不在」）だったのである。

そのもとになったのが嫉妬であるにせよ、裏返しになった愛情であるにせよ、限度を超えた所有欲であるにせよ、それは誰であれ、「つくる」に対して向ける必要も、その理由もない、筋目の通らない感情であった。しかし、どれほど「筋違い」であっても、いったん生まれた害意は害意として機能する。能『葵上』では、六条の御息所の妬心は彼女自身がそのような筋目の悪い感情を引き受けることを拒否したために強力な生き霊となった。「つくる」を死の淵まで追い詰めたものも、あるいはその生き霊に類するものだったのかも知れない。人間が一度でも抱いてしまった感情は、本人がそれを引き受けることを拒んだときに、「濃い実在感をもった非実在」に化すのである。

夢もそうだ。「つくる」は二つの決定的な夢を見る。ひとつは「つくる」が死と隣接した日々から抜け出すきっかけになった「激しい嫉妬に苛まれる夢」である。「つくる」はそれまで嫉妬という感情と無縁に生きてきたし、そもそも嫉妬を感じる相手がいなかった。にもかかわらず、強烈な嫉妬に苛まれる夢を見て、それは物理的に彼をつよく揺り動かした。そして、「夢というかたちをとって彼の内部を通過していった、あの焼けつくような生の感情」（48頁）によって「死への憧憬」はかき消された。夢が死を追い払ったのである。夢はこのときたしかに現実変成の力を帯びたのである。

もうひとつの夢は高校時代の友人たちと繰り返し性的にまじわる「性夢」である。彼がその夢を定期的に見るようになったのは、彼女たちと会う機会が失われ、彼女たちのことを忘れようと決意した後である。だが、夢は時間を遡行して、ガールフレンドのひとりを妊娠させ、彼にその社会的責任を引き受けさせることになり、ついに彼女の死の遠因となる。時間の順逆が狂っている。でも、それがおそらくは夢が現実変成力をもつときの条件の一つなのだ。

　誰も引き受け手のいない夢、つまり夢を見ているものが「そんな夢を見ていること」を拒否し、夢に見られているものが「そんな夢に登場していることを」拒否するような夢、誰も引き受け手のいない夢は現実を変成する力を持つ。夢を見るものも、夢に見られるものも、いずれもがその夢の「引き取り」を拒むとき、行き場を失った夢は境界を超えて現実に浸入してくる。

　秋成の物語世界でも、同じ現象が繰り返し記録されている。『菊花の約』の陰風に乗って千里を旅する宗右衛門の霊魂も、『浅茅が宿』の夫勝四郎の帰りを七年待つうちに窮死した妻宮木の「怪しき鬼の化し」たる姿も、『吉備津の釜』の夫に裏切られた磯良の恨みも、いずれもその「思い」は思っている主体が物理的に消滅したときにはじめて物質化する。欲望は欲望する主体が不在となったときに異形のものとして現実化する。

　『色彩を持たない多崎つくると、その巡礼の年』の主人公の際だった特徴は「欲望の自制」である。彼は他人に多くを求めないように、自分にも多くを求めない。謙抑的に生きることを「つくる」はモラルとして自らに課した。それは外形的にはディセントで「よい感じ」の人物を作り出すことに成功した。けれども、彼が「私がその欲望の持ち主です」という名乗りを回避するたびに、彼に忌避された欲望は「本籍地」を失って浮遊し始める。「つくる」はそれと意識しないまま、自分の欲望の「親権」を拒否することで、実際には無数の「悪霊」を世に解き放ってきたのである。

「つくる」を癒やすべく登場した沙羅が彼に求めるのはだからたったひとつだけである。それは「ほんとうに欲しいもの」（232頁）を見つけて、それに向かってためらわず手を伸ばせ、ということである。おのれの欲望は、仮にそれが法外なものであったとしても、認めた方がいい。欲望をおのれの統御可能の範囲に収めておこうとするむなしい努力は止めた方がいい。過剰な抑制（というものが存在するのだ）は、ときに何か統御しえないほどに危険なものを解き放つことがあるからだ。

物語の最後で、「つくる」は自分の欲望にようやくまっすぐに向き合う。彼は求めるものを言葉にして、求めるものを抱き寄せて、自分の欲望の「引き受け手」になることを決意しようとしている。その望みが達せられるかどうか、私たちには知らされない。でも、とりあえずこの欲望は引き受け手を見出した。それは彼自身を傷つけることはあっても、他の誰かを傷つけることはもうないはずである。

予定の紙数を大きく過ぎたので、もう筆を擱《お》くことにする。この小説は「濃い実在感をもつ非実在」がどのように嫉妬と欲望と暴力を賦活して、現実を変成することになるのかを描いた点で『雨月物語』の系譜に連なるものであり、そこに横溢する濃密に「日本的なもの」が村上文学世界性をかたちづくることになったというのが私の本作についての個人的解釈である。この解釈にどれほどの一般性があるかどうかわからないけれど、上田秋成─江藤淳─村上春樹というラインに沿って村上文学を論じたことがある人を知らないのでここに備忘のために記すのである。

（『文學界』２０１３年６月号）

映画『ノルウェイの森』

好きな小説が映画化されたとき、どこを見るか。これはなかなかむずかしいです。基本的にはやりかたは三つあると思います。

（1）原作をどれくらい忠実に映画化したか、その忠実度を評価する。

（2）原作からどれくらい離れたか、何を削り、何を付け加えたか、フィルムメーカーの創意工夫を評価する。

（3）原作のことは忘れて、単独の映画作品として、「同じジャンルの他の映画」とのシナリオや映像や演技の質的な違いを評価する。

『ノルウェイの森』の場合、なにしろ累計発行部数が１０００万部を超えた「超ベストセラー」です。

僕だって三回読んでしまったくらいですから、「原作を読んでないふりをして映画を見る」

ということは不可能です。

となると、残る選択肢は「忠実度を見る」か「裏切り度を見る」かしかありません。

僕はあらゆる映画評において「できるだけいいところを探してほめる」ことを心がけているので、「忠実度においてすぐれた点」と「裏切り度においてすぐれた点」の両方についてレポートしたいと思います。

まず、「忠実度においてすぐれている点」。

キャスティング。

これは主演の松山ケンイチくんがほんとうに「村上春樹にそっくり」で、すばらしいです。ちょっと松山くんの方が面長だけれど、うつむいたときの横顔なんか、はっとするほど村上春樹そっくり。しゃべり方もいかにも「そうそう、こういう感じ」です（ときどき声がひっくり返るんですけど、それもいい味です）。

小説の「ワタナベくん」は村上春樹自身じゃないんだけれど、それにしても。

それから緑さん（水原希子）がすごくいい。

緑ちゃんの「ねえ、あたしが今何考えてるかわかる？」という突拍子もない台詞はほとんど原作のままですけれど、水原さんのかすれた声がそこに不思議な厚みを与えています。

直子（菊池凛子）のキャラクター設定については賛否両論があるでしょう。

直子は「ふつうの女の子」がしだいに「狂ってゆく」、『キャッチャー』におけるホールデン少年的な「不可避的に転がり落ちる」危うさが魅力なんです。そのためには「ふつうの女の子」としての清楚な優等生的な魅力がきちんと描かれていないといけない。そうしないと、「転落してゆく怖さ」が出ない。でも、映画では二人の長い東京散歩とかみ合わない会話のところをさらっと流して、すぐに誕生日の、直子が最初に精神的に崩れる場面に入ってしまいます。

ミスキャストは（これは「ほめる映画評」には書くべきじゃないけれど）永沢さん（玉山鉄二）とレイコさん（霧島れいか）。

でも、これは俳優のせいじゃなくて、脚本のせいですね。悪いけど。

永沢さんの人間的魅力と凄みは「ナメクジを飲む」という出だしのエピソードで印象づけられるのですけれど、映画ではカットされている。これがないと、ただのイケメンの鼻もちならないエゴイスト野郎にしか見えません。

レイコさんの場合は、彼女が精神的に崩壊するに至った「邪悪な十三歳の美少女」の強烈な出会いの経験をワタナベくんに語ることで、人間性の奥行きが示され、彼女とワタナベくんとの親しい繋がりが理解されるのですけれど、それがカットされている。

そして、物語のいちばん最後に、直子のために二人で50曲のギター演奏で彩られた「楽しい葬式」をすることで、二人が許し合い、求め合うことの理由がわかるのですが、なんとこの小説のクライマックスシーンが映画ではまるごとカットされているのです……こ、これではレイコさんはただの「エロいおばさん」じゃないですか。すごく素敵な人なのに。

それから、ワタナベくんが緑のお父さんの看病をする場面がカットされていましたね。このとき、はじめてあったガールフレンドの危篤状態のお父さんの汗を拭いて、「しびん」におしっこをさせて、海苔を巻いたキュウリを食べさせる魔術的な手際に対して緑ちゃんは「この人は信頼できる」と確信するわけですけれど、その大事なシーンもカットされてました。この場面がないと、どうして緑ちゃんがそんなに深くワタナベくんを愛するようになるのか、わからない。

もう少し続けますね。「忠実度においてすぐれている点」は１９６８年の早稲田大学のキャンパスの再現。

このヘルメットかぶった学生たちのシュプレヒコールとヘルメットの色分けはまことに現実に忠実でした（社青同がたくさんいて、ＭＬが一人だけしかいないとか、ね。中核と革マルの白メットが出てこないのは「時代考証」した方の個人的な趣味でしょうけど）。

あと、もうひとつだけ。

ワタナベくんが直子と一緒に暮らそうと思って借りたのは原作では国分寺の縁側のある日当たりのよい一軒家でした。そこでワタナベくんは、ぼおっとネコと遊んでいるんです。映画ではなんだか日当たりの悪い、潤いのないアパートで、これは「癒しのための場所」じゃないでしょう……と僕は思いました。

視点を変えて、「裏切り度」においてすぐれた点を探してみます。

う……とっさには出てきませんね。

原作になくて映画のオリジナルは、二度目の療養所訪問のときに、ワタナベくんが直子と強引にセックスしようとする場面。でも、これは僕にはかなり違和感がありました。雪の中で抱き合う場面も原作にはありません。レイコさんがシャワー浴びる場面も（原作の国分寺の下宿にはお風呂なんかついていないですから）。

つまり、ちょっと「色っぽい」場面がいくつか追加されているわけですけれど、きっとそれで「恋愛映画」的なフレーバーを強化しようとしたということなんでしょう。

でも、僕にはこの企ては成功しているようには思えませんでした。申し訳ないけど。

でも、最後にジョン・レノンのあのしゃがれた声で『Norwegian wood』が流れると、そういう細かな瑕疵は全部どうでもよくなっちゃいました。そうだよな、『ノルウェイの森』って、「そういう時代」の空気をくっきり切り取った物語だったんだから、そのときの音が聴こえて、そのときの空気の波動がふっと伝われれば、それでＯＫなんだよね。

あと最後の最後に一つだけ。

ワタナベくんと緑ちゃんは新宿のＤＵＧで会うんですけど、僕も実は１９６８年から70年ごろによくＤＵＧでジャズを聴いて、お酒を飲んでいました。とてもシックでトンガッた店だったので、あの店をセットで再現して欲しかったですね。僕らが予備校生や大学生だった頃、女の子を連れてお酒を飲むというと、とりあえずＤＵＧだったんです。村上春樹さんがやっていたジャズバー「ピーターキャット」の原型もたぶんＤＵＧだったんじゃないかな。

（ブログ２０１０年10月28日）

映画『ハナレイ・ベイ』

村上春樹はエッセイの中で繰り返し「僕はオカルト的な事象には関心をほとんど持たない人間である」と書いている。

「まったく信じないというのではない。その手のことがあったってべつにかまわないとさえ思っている。しかしそれにもかかわらず、少なからざる数の不可思議な現象が僕のささやかな人生のところどころに彩りを添えることになる。」（『東京奇譚集』、新潮社、２００５年、15—16頁）

「あって当たり前」のことだから、村上春樹の小説にはきわめて頻繁に幽霊が出て来る。でも、それは村上春樹的には、人生に彩りを添えるけれど、いささか呑み込みにくい「現実」に過ぎないのだ。

河合隼雄との対談の時に、村上春樹は『源氏物語』に出て来るさまざまな超現実的な現象（六条御息所の怨霊など）について、それは「現実の一部として存在したものなんでしょうかね」

と質問した。河合はその質問にあっさりと「あれはもう、全部あったことだと思いますね」と回答している。（『村上春樹、河合隼雄に会いにいく』）

河合のこの断定は村上春樹の背中を押した一言になったと思う。現に、この対談以後の村上春樹の作品では「超現実的な現象」があきらかに『源氏物語』の（より直接的には上田秋成の『雨月物語』の）「彩り」を色濃く帯びて、物語の前面に登場するようになったからである。『ハナレイ・ベイ』を含む『東京奇譚集』は「村上春樹版『雨月物語』」として読むことが可能だろうと私は思っている。だから『ハナレイ・ベイ』には幽霊が出て来る。ただし、この幽霊は『雨月物語』の死霊生霊たちとはずいぶん相貌を異にしている。

彼はとくに現世に強い執着を残してもいないし、誰かにぜひ伝えたいメッセージがあるわけでもない。彼が好きな場所で、彼が好きなことをしている最中に、彼がひそかな敬意を抱いていた野生の力によって、「自然の循環の中に戻っていった」のである。おそらくそれほど苦しむこともなかったのだろう。「死に際して特に言うべきこともない」死というものがあるとすれば、そういう死だった。

この「執着の薄さ」が生き残った者を微妙に苛立たせる。それがこの物語の「主題」と言えば、主題である。メッセージを遺さずに死んだ人に対する生き残った者の当惑。

「もっと生きたかった」と言われたら、生き残った者は「あなたの分まで生きよう」と決意する。「どうしてもしたいことがあった」と言われたら、「自分が代わってかなえよう」と思うかも知れない。でも、「憾《うら》みを遺さず」に死なれてしまうと、生き残った者はどうしてよいかわからない。何をしてあげたら、何を告げることができたら、死者の「供養」になるのか、それがわからない。

10年ハナレイ・ベイに通ったあと、ついに現れた幽霊は母親の眼には見えず、母親のかたわらに立っていながら、母親をではなく、波を見ている。「特にあなたにして欲しいこともないし、特にあなたに言いたいこともない」というのが10年間息子の死に場所に通い続けて「供養」してきた母親への、死者からのメッセージだった。ある意味でこれほど残酷なことはない。

三島由紀夫の『豊饒の海』の最後の場面で、門跡《もんぜき》に松枝清顕《まつがえきよあき》の記憶を否定された本田繁邦《しげくに》は「記憶もなければ何もないところへ、自分は来てしまった」という痛ましい覚醒をする。「憾みを遺した幽霊」はどれほど恨みがましい現れ方をしても、少なくとも生き残った人間の「私は生きている」という自覚だけは保証してくれる。でも、「憾みを遺さない幽霊」は生き残った人間に何も残さない。生きている自覚さえ与えてくれない。

『ハナレイ・ベイ』はその都会的で軽妙な外見とはうらはらに、とても残酷な、幽霊についての物語である。

（映画『ハナレイ・ベイ』公式パンフレット解説２０１８年９月10日）

第5章　音楽と、その時代

大瀧詠一の系譜学

「大瀧詠一の系譜学」と言っても、別に大瀧さんの故事来歴をご紹介するわけではありません（ご紹介したくても、知らないし）。そうではなくて、これは一「ナイアガラー」によるところの、大瀧さんの（ふつうはこういう文章では敬称を略するのですが、どうにも抵抗感があるので、敬称つきで続けさせて頂きます）系譜学的な音楽史の卓越性を讃える試みであります。

私は大瀧詠一さんの音楽史こそは（ミシェル・フーコーを学祖とする）構造主義系譜学の日本における最良の実践例の一つだとつねづね考えてきました。

今回、縁あって、いささかの紙数を『ユリイカ』編集部からお借りすることができましたので、この論件について、広く日本全国の皆さまのご理解を賜るべく、以下に思うところを述べたいと思います。

最初に、二点だけ確認させて頂きます。

第一に、本稿は冒頭で名乗っております通り、「ナイアガラー」という党派的立場からなされる論考です。はなから「ナイアガラの擁護と顕彰」のために書かれたテクストでありますから、「そういうもんだ」と思ってお読み下さい。「学術的中立性が欠けている」とか言われても困ります。

第二に、本稿が扱うのは、大瀧さんの音楽史の方法でありまして、その音楽そのものではありません。大瀧さんはみずからの方法についてきわめて自覚的な人で、83年の「分母分子論」以来、折々にその理論的基礎づけを行ってきていますけれど、ナイアガラーの皆さんの中に、大瀧さんの方法の卓越性について検証された向きは、これまではおられないようです。私はさいわいフランス現代思想が専門ですので、そのささやかな知見を動員して、いまだなされていない方面からのアプローチを試みてみたいと思います。

『ユリイカ』の「はっぴいえんど特集号」をご購入のみなさんの中に、「ナイアガラー」の語義をご存じない方はたぶんおられないと思いますが、一応念のためにひとこと解説しておきます。

「ナイアガラー」というのは、大瀧詠一さんが実践してきた音楽活動（には限定されないもろもろの活動）をフォローすることを人生の一大欣快事とする人々の総称です。

ナイアガラーが通常の音楽ファンと違うところは、この「フォロー」行為が、新譜購入や追っかけやツアーでも「出待ち入り待ち」といった定型的なファン活動のかたちを取らない（というより「取れない」）点にあります。

というのは、ご承知のとおり、歌手「大滝」詠一氏は『Ｅａｃｈ Ｔｉｍｅ』のあと『幸せな結末』まで13年間作品をリリースしませんでしたし、コンサートも『ナイアガラ・ツアー』を最後に２０年以上停止してきているからです。

ナイアガラーたちを「失望を織り込み済みの期待」のうちにとどめおいていた17年ぶりのニューアルバム企画『２００１年 ナイアガラの旅』（仮題）も発売されることなく終わりました。けれども、それに不満をもらすような狭量な人間は、そもそも「ナイアガラー」とは呼ばれないのであります。

では、ナイアガラーたちは何で「満たされている」のかと言いますと、大瀧さん自身のことばを借りて言えば、大瀧さんの「広義における音楽活動」によってなのであります。

「広義における音楽活動」とは何のことでしょうか？

山下達郎さんとの『新春放談』（99年）で、大瀧さんは「音楽活動」について独特な定義を下しています。同じ年の1月にＮＨＫで放送されるラジオ番組『日本ポップス伝2』について論じたときのことです。大瀧さんはこう語っています。

「大瀧：自慢じゃないんだけどさ。あれは今回、自分のアルバム以上のものなんだよ（笑）。音楽活動ということがアルバムづくりとかシングル製作だけに集約されるということ自体がね、おれは非常に偏った考え方だと思ってるわけ。音楽なんてそんな狭義なものじゃないんだよ。ものすごく、広義のもんなんだよ。だからあれがおれのニューアルバムなんだけど、どうせ分ってもらえないだろうな、とはなから思ってるんだ（笑）。」（『新春放談』、1999年、1月3日）

『日本ポップス伝』は大瀧詠一さんの「ライフワーク」とでもいうべき仕事で、明治以来の近代音楽史の読み直しをめざした壮大な企図のものです。その全五回、八時間に及ぶ音楽史講義は、大瀧さんの持論であるところの「分母分子論」を実際の楽曲を資料に、徹底的に考究したものです。ですから、ナイアガラーの条件は、このような学術的講義を「大瀧詠一のニューアルバム」として満腔の歓びをもって享受することができる人、ということになります。ラジオ放送の録音テープをすり減るまで繰り返し聴くのでは足りず、テープ起こしを「写経」と称して楽しむナイアガラーまでいたんですから。

では、本題に入りましょう。

大瀧詠一さんの音楽史の方法は構造主義系譜学の方法を実践している。私は上にそのように書きました。

「構造主義系譜学」とはどういう方法のことなのか。具体的な方が話が早そうなので、ピーター・バラカンさんとのラジオ対談の中での、次のような発言からご紹介しましょう。

「ビートルズって、今見ると、変なスーツ着てるし、別に大騒ぎするほどロングヘアーでもないし、不良っぽくないじゃないですか。あれをどうして当時のイギリスの人はショッキングに感じたんですか」というリスナーからの質問にピーターさんはこう答えました。

「ショッキングになんか感じませんでしたよ。だから、ショッキングに感じないように、マネージャーのブライアン・エプスタインがわざわざあんなスーツ着せていたわけですから。ジョン・レノンは非常に嫌っていたようですけどね。髪の毛の長さは、そりゃ90年代の基準から考えれば、もちろん短く見えますけどね。ビートルズ以前のことを考えれば、それは長かったんですよ。」

大瀧さんはそれにこう続けています。

「今の基準で考えれば短いけれども、って言うけれど、何でも今基準にして考えちゃいけません。どちらかというと、昔から流れて来ているから今があるんですからね。歴史を逆に見ちゃいけないということですよ。」（ＦＭ横浜、『我が不滅のリバプール』、１９９７年２月７日）

ここで大瀧さんは若いリスナーに発想の切り替えを要求しています。

それは「今・ここ・私」を中心としてものを見ることを自制せよ、ということです。系譜学的思考の第一条件は何よりもまずこの「節度」です。

学問的方法の条件が「節度」であるなんて言うと変に聞こえるでしょうけれど、「節度」というのは実は学問的にはとても大切なことなのです。というのは、人間は例外なく自分の判断の客観性を過大評価する傾向にあるからです。それはことばを言い換えると、「今・ここ・私」の批評性を過大評価するということです。

「ビートルズの髪はそれほど長くない」という判断を自明のものとするためには、かなりの自己中心性と愚鈍さが必要です。大瀧さんはラジオ放送のときに、きびしい口調でこのリスナーの自己中心性をたしなめました。おのれにとって「自明」であり「自然」と思えることを、そのまま「現実」と思い込まないこと。自分の「常識」を他の時代、他の社会、他の人間の経験に無批判的に適用しないこと。それが系譜学者にとって、第一に必要とされる知的資質です。

私たちの自己中心性と愚鈍さの核にあるのは、判断基準のでたらめさではありません。むしろ、判断基準のかたくなさです。

マルクス主義が支配的なイデオロギーである時代が終わった今でも、多くの人々は依然として歴史は「鉄の法則性」に従って粛々と「真理の実現」に向かって流れていると信じています。これは、ほんとうです。

さすがに人間社会が「未開」から「文明」へ直線的に進化していると素朴に信じている人は少なくなりましたけれども、いまここにあるものだけが存在するに値するものであり、存在するに値しないものは消滅した（あるいは、消滅したものは、存在するに値しなかったものだ）という「歴史の淘汰圧」についての信頼はにわかには揺るぎません。

「これからは……の時代だ」とか「……はもう古い」ということばづかいの前提にあるのは、この歴史の淘汰圧への盲信であると言ってよいでしょう。

このような考え方を本稿では「歴史主義」と呼ぶことにします。

歴史主義は音楽史を語るときの私たちの考え方にも深く浸透しています。現に、いまだに「今・ここで・私が」聴いている楽曲こそ、歴史の審判と市場の淘汰を生き延びた、もっとも洗練され、もっとも高度で、もっとも先端的な音楽であると、何の根拠もなく信じているリスナーは少なくありません。人々の嗜好が変わり、ひとつの音楽ジャンルが衰微すると、それにつれて、それまで我が世の春を謳歌していたプレイヤーもソングライターもプロデューサーも……次世代に席を譲って、表舞台から退場する……という諸行無常盛者必衰の歴史主義が声高に語られ、リスナーはそれを信じ込まされています。もちろん、音楽商品が短期的に無価値になる方が資本主義的にはベネフィットが大きいからです。

けれども、音楽の「変化」（それは決してレコード会社や音楽評論家たちが信じさせようとしているように「進化」ではありません）はほんらいもっとランダムで、もっとワイルドなものだったのではないのでしょうか？

キャロル・キングの音楽的遍歴について山下達郎さんと語った中で、大瀧さんは「ひとりの音楽家にひとつの音楽ジャンルでの活動しか認めない」硬直した歴史主義に鋭い批判を突きつけています。

「山下：大瀧さんは『ロコモーション』から始まってずっと来て、自分でプロになって、はっぴいえんどをやるときにバッファロー・スプリングフィールドになるわけじゃないですか。だけど、結局あの、バーズとあの周辺のウェストコーストのあいうもので、いきなりあそこで出てくるじゃないですか、キャロル・キングが再び。

大瀧：再び出てきたわけよ。何なんだ！　と思ったよ、だから。『ユーヴ・ガッタ・フレンド』で。キャロル・キングでしょ。

山下：どう思いました？

大瀧：何してんのと思ったよ。ずうっと、お化粧変えてさ。何なんだと思って（笑）。でも、その曲って、ヒットしてるじゃない。知らなかったから。それでキャロル・キングって言うからさ。はあっと思ったよ。あ、歌っていうのは歌なんだ。つまりさ、『ロコモーション』はダンスナンバーだ、『ユーヴ・ガッタ・フレンド』はシンガーソングライターだ。そんなことはどうでもいいんだ（笑）。なあんだ、歌は歌じゃねえか。そう思ったのよ。（……）だからさ、同じ人間がいろんなタイプの曲作っていいわけよ。（……）船村（徹）さんがね、自分だって、『ダイナマイトが百五十屯』とか、いろんなああいうの作っていたんだと。やっていくうちに『王将』が出て、『王将の船村、船村の王将』ってことになって、まわりがみんな、ああいう曲じゃなきゃあ、という感じになってきて……というのがよくわかったんだよ。」（『新春放談』、２００２年1月13日）

ここで大瀧さんは「同傾向の楽曲を繰り返し聴きたい」というリスナーたちの欲望（とそこから利益を引き出すビジネスの要請）が、音楽家をひとつのジャンルに縛り付け、彼らの「曲を作る自由」を抑圧し、ジャンルと運命を共にすることをほとんど強要することで成立しているという事情を指摘しています。

音楽家たちは収益の高そうなジャンルに縛り付けられます。例えば、演歌というジャンルの収益率が高ければ演歌ジャンルにリソースが集中され、それが売れなくなれば、ジャンルごと

「歴史のゴミ箱」に棄てられる。そして、収益の高そうな次のジャンルに人々は雪崩打つ……音楽ビジネスはそんなふうに、ジャンルを短期的に使い捨てにすることで収益を上げてきました。そして、そのビジネス戦略のためには、「音楽史はそのつど最高の音楽ジャンルが継起的に出現する不可逆的な進化のプロセスである（つまり、最新の音楽が最高の音楽である）」というほとんどヘーゲル的な歴史主義イデオロギーをリスナーと分かち合うことが必要だったのです。

大瀧さんの音楽史のねらいの一つはこの素朴な進歩史観を退けることにありました。

歴史主義への痛烈な反証として、大瀧さんは、ジャンルの消長にもかかわらず、つねに「同じ音楽家」が、そのつど異なるジャンルで良質の作品を提供し続けているという（業界内部的には熟知されているけれど）リスナーにはあまり知られていない事実を示します。

60年代のボビー・ヴィーやクッキーズのアイドル歌謡から、エヴァリー・ブラザーズの『クライング・イン・ザ・レイン』、『ロコモーション』、スティーヴ・ローレンスのバラード、70年代の『タペストリー』まで、ジャンルにとらわれず縦横無尽の活躍をしたキャロル・キングは、ご存じの通り、大瀧さんの変わることのない敬愛の対象です。そのことは、大瀧さんの伝説的なＤＪ番組『Go!　Go!　Niagra』（ラジオ関東）がキャロル・キング特集から始まったことからも窺い知ることができます。

その敬意の理由は、もちろんキャロル・キングの音楽性（大瀧さんのカテゴライズによると「教条主義的・啓蒙主義的な匂いのある」曲想）に対する嗜好もありますけれど、彼女が「歌っていうのは歌なんだ」というきっぱりとした主張を貫いて、音楽における歴史主義に対する「生きた反証」となっていることへの共感もおそらくはかかわっているのではないでしょうか。

『ロング・ヴァケーション』がキャロル・キングへのオマージュであることは、大瀧さん自身も認めています。

「山下：ぼくこのあいだキャロル・キング特集、自分で三週間やってみて、何がいちばん面白かったかというと、いかに大瀧さんがね。キャロル・キングに、とくに『ロンバケ』。ナチュラルにぱっとああいうふうに出したときに。キャロル・キングをいかに大瀧さんがよく取っているかと思う。そう思うほどにキャロル・キングがよくわかっているんだなということが、ぼくはよくわかった。だって、聴くとわかるんだもん。

大瀧：1、2、3は完璧にキャロル・キングですよね。」（『新春放談』、2002年）

大瀧・山下ご両人の伝説的プログラム『新春放談』（これはナイアガラーにとっては20年来の、年に一度の「お年玉」です）でもっとも頻繁に言及されるミュージシャンの名前は、キャロル・キングとエルヴィスと小林旭とフィル・スペクターですが、私の記憶が正しければもう一人います。それはハル・ブレインです。

ハル・ブレインは、存じの通り、ロネッツの『ビー・マイ・ベイビー』以後のフィル・スペクターのほとんどのセッションに参加し、ビーチ・ボーイズ、アソシエイション、ママス＆パパス、バーズ、サイモン＆ガーファンクルに至るまで、60年代―70年代にかけて数百のヒットナンバーのレコーディングに参加した伝説の「レッキング・クルー」ドラマーです。何度も聴いていているうちにヴォーカルもギターもだんだん印象が薄くなって、いつしかドラムばかり聞こえるようになる……という不思議な経験はハル・ブレインならではのものです。

このハル・ブレインに対する大瀧・山下ご両人の高い評価はもちろん何よりもまずその卓越した技量に対するものなのですが、それと同時に（キャロル・キングの場合と同じく）、「ジャンルの消長に伴って、古いミュージシャンは新しいミュージシャンによって駆逐される」という歴史主義イデオロギーをハル・ブレインの存在そのものがきっぱりと否定していることへの共感によるものではないかと私は思います。

系譜学者の第二の条件、それは「歴史はある法則性に従って、粛々と進化している」という物語を決して軽々に信じないこと、これです。

すぐれた音楽家は、どのような音楽的リソースからも自由に楽想を引き出すことができる。

「歌は歌だ」という大瀧さんのことばを私なりに書き換えると、こんなふうになります。「どのような」に傍点をふったのは、ぜひその点を強調したいからです。

大瀧さんは前出のピーター・バラカンさんとの対談の中で、（ピーターさんの嫌いな）ハーマンズ・ハーミッツの『ヘンリー八世くん』をかけたあとに、次のような驚くべき指摘をしています。

「大瀧：皆さん、お聴きになりましたか、いまのエンディング。『シェー』いうてまんねん、これ。（笑）ほんとだよ。ちょうど『おそ松くん』がはやっているとき、日本に来たのよ。それで、『シェー』が気に入って、帰って行ったの。いや、マジ、マジ。ほら、これ見て、日本に来たとき、みんな『シェー』してるでしょ。写真、証拠写真。来日したとき、『シェー』が気に入って。『ヘンリー八世くん』のエンディングは『シェー』なんですよ。知らなかったでしょう？」

大瀧さんはここで、全米、全英のヒットチャートをにぎわした『ヘンリー八世くん』（ほんとにひどい曲だけど）のエンディングが赤塚不二夫からの「盗用」であったというトリビアな情報を披露しているのではありません。そうではなくて、私たちが「ロックは英米発のもので、日本人リスナーはそれを受動的に享受することしかできない」という前提に立って、「だからなんとかして英米の流行にキャッチアップしなきゃいけない」という歴史主義の論法を（それは今日では「グローバリズムの論法」というのとほとんど同じことですね）無反省的に採用していることについて、自制を求めているのです。

音楽の伝播というのは、人々が思っているほど一方向的なものではないし、時代とともに「進化する」というものでもありません。それは時間と空間を行きつ戻りつし、さまざまな非音楽的なファクターをも吸い寄せて、絶えざる変容と増殖を続ける不定形的でワイルドな運動なのです。

ピーター・ヌーンがおのれの「出っ歯」的風貌の戯画的な達成を、赤塚不二夫が造型した「イヤミ」の図像のうちに見い出して、深い親しみを覚え、そこから音楽的アイディアを得て、全世界に発信した……というようなことは「ロック英米渡来説」を素朴に信じる限り、なかなか理解しがたいことです。けれども、「イヤミ」のモデルがトニー谷であり、トニー谷がアメリカのボードヴィリアンの戯画であったことを考え併せると、そこにはおそらく俗眼には見えにくい「因果の糸」が紡がれているのです。

大瀧さんの音楽史の真骨頂は、この「目に見えない因果の糸」を自在に取り出す手際にあります。この名人芸を支えるのは、もちろん大瀧さんの膨大な音楽史的知識であるわけですが、通常の音楽評論家と大瀧さんの違いは、その音楽史が過去から未来にではなく、しばしばそこでは時間が現在から過去へ向けて逆走する点にあります。そして、このような逆送する時間意識こそ、系譜学者の第三の条件なのです。

歴史学者と系譜学者の発想の違いを一言で言うと、歴史学者は「始祖」から始まって「私」に達する「順―系図」を書こうとし、系譜学者は「私」から始まってその「無数の先達」をたどる「逆―系図」を書こうとする、ということにあります。

歴史学的に考えると、祖先たちは最終的には一人に収斂《しゅうれん》します。『船弁慶』の平知盛が「われこそは桓武天皇九代の後胤《こういん》」と告げるのは典型的に歴史主義的な名乗りです。

しかし、これはよく考えるとかなり奇妙な計算方法に基づいたものです。というのは、私たちは誰でも二人の親がおり、四人の祖父母がおり、八人の曾祖父母……つまり、私のn代前の祖先は2のn乗だけ存在するはずだからです。平知盛の九代前には計算上は512人の男女がいます。にもかかわらず、知盛が「桓武天皇九代の後胤」を名乗るとき、彼は残る511人をおのれの「祖先」のリストから抹殺していることになります。

たしかに、歴史学的な説明はすっきりしています（しばしば「すっきりしすぎて」います）。系譜学はこの逆の考え方をします。「私の起源」、私を構成している遺伝的なファクターをカウントできる限り算入してゆくのが系譜学の考え方です。ファクターがどんどん増えてゆくわけですから、これをコントロールするのは大仕事です。けれども、まったく不可能ということはありません。それは、炯眼《けいがん》の系譜学者は、ランダムに増殖するファクターのうちに、繰り返し反復されるある種の「パターン」を検出することができるからです。

歴史学者がレディメイドの「ひとつの物語」のうちにデータを流し込むものだとすれば、系譜学者は一見すると無秩序に散乱しているデータを読み取りながら、それらを結びつけることのできる、そのつど新しい、思いがけない物語を創成してゆくことのできる人のことです。『日本ポップス伝2』で、大瀧さんは遠藤実さんの曲を時間を逆送しながら聴くことで、それまでどのような音楽史家も思いつかなかったような「物語」を提出してみせます。

千昌夫の『星影のワルツ』をかけた後、大瀧さんは「この曲の前に、遠藤さんはこのタイプの曲をつくっています」として、同じワルツ形式の舟木一夫の『学園広場』に遡航します。

「こうなると遠藤さんのその前の曲というのを聴きたくなってきますね。島倉千代子さんの『襟裳岬』というのをちょっと聴いてみましょう。」（『襟裳岬』をかける）

「これが島倉千代子さんの『襟裳岬』ですけれど、『襟裳岬』というと、みなさんはこちらの方の曲を思い起こすのではないかと思われます。」（森進一の『襟裳岬』をかける）

「誰が聴いても、『襟裳岬』というと、今はもうこれを思い出すと思うんですけれども、島倉さんのヴァージョンの方が先な訳ですよね。（……）偶然だと思うんですけれど、私思うには、これは決して偶然じゃないんですね。偶然なんですけど、歴史的な必然が実はあるんです。なぜか、襟裳岬を選んでしまったと思うんですね、岡本おさみさんは。実はそのオリジナルが遠藤実さんだったんですよ。で、この吉田拓郎ヴァージョンと島倉ヴァージョンに何の関係があるかというと……次の曲を聴くと分る、ということになっています。」(千昌夫『北国の春』をかける)

「『北国の春』、千昌夫なんですけど。これ遠藤実さんなんですよね。(……) 70年代の日本の若者によって作られたフォークというジャンルがあるんですけれど、島倉さんよりも拓郎ヴァージョンの方が有名になりました。けれど、実は本家は遠藤実さんだったんですよ。で、遠藤実さんも、負けてはいられないのというので、『襟裳岬』の後に『北国の春』でその位置を奪還したんじゃないかなと思います。

70年代フォークというと吉田拓郎さんですけれど、その前に岡林信康さんがいて、その前にさらに千昌夫さんがいたんですよ。日本のフォークというのは遠藤実さんが創始者である、と私は思います。

といいながらもね……実は千昌夫さんにも先達がいるんです。歴史というのはそういうものですね(笑)。千昌夫さんの先達はこの人です。」(『新相馬節』をかける)

「これが三橋美智也さんの『新相馬節』です。(……) この人が歌謡曲に本格的な民謡の小節《こぶし》を入れた最初の人なんですね。この人以上にうまく入れてる人は他には後は出てこないんすね。

最初の人のすごいところというんでしょうか。で、結局、日本のフォークはこの人が原点だったんですよ。三橋美智也が。『北国の春』は70年代の一つの頂点でしたけれど、三橋さんの頂点はこの曲でした。」(『達者でナ』をかける)

「これがもう日本のフォークの祖ですね。(……)日本のフォークはこれです。これが原点なんです。誰が何て言っても。」

日本のフォークの中興の祖には岡林信康さんがいて、はっぴいえんどはそのバックバンドとして活動した時期があります。ですから、大瀧さんが概括したこの流れには、大瀧詠一さん自身を含む風景が描かれているわけです。よく知られている通り、はっぴいえんどはバッファロー・スプリングフィールドをドメスティックに解釈するところからスタートしたわけですが、大瀧さん自身は、そのはっぴいえんどの代表曲『春よ来い』が三橋美智也さんの『リンゴ村から』に深いところでインスパイアされたものであり、それゆえに70年代の(尻尾にいまだ「前近代」をひきずっていた)聴衆に支持されたのだという音楽史の「必然」を過たず見据えています。

このようなファクターは、「ジャンルの消長」という「単純な物語」で音楽史をとらえる立場に立つ限り、決して主題化されえないものだと私は思います。

系譜学者の第四の、そしてもっとも重要な条件は、自分自身を含む風景を俯瞰する視座に立つ知性です。

『ユリイカ』編集部から与えられた紙数をすでに大幅に超過してしまったので、「分母分子論」と系譜学の関連についてさらに論及することはできなくなりました。最後に大瀧さんのみごとなことばで私の論考を締めさせて頂きます。

「分母でも地盤でもいいけど、思ったのは、その下のほうにあるものをカッコにしてしまわないで、常に活性化させることが、やっぱり上のものがあるとすれば、そこがまた活性化する原因だと思うんですよ。だから、そのひとつとしてパロディ作品にトライしてみるとか、確認作業とか、そういうことをやってるんですよね。だから、常に一面的な見方の地盤というんじゃなくて、その地盤も変幻自在に変わっていく部分もあると思う。そこを見つめていくことが大事じゃないかって考えてるんです。」(「分母分子論」、『FM fan』、83年4月号)

過去を歴史のなかに封印することなく、つねに活性化させ続けること。大瀧さんのこの方法論的自覚こそ、系譜学的思考の核心をひとことで言い切っていることばだと私は思います。

(ナイアガラ関連の資料提供につきまして、30年来のナイアガラー・フレンドである石川茂樹くんのご協力に深く感謝いたします。)

(『ユリイカ』2004年9月号)

僕のビートルズ

村上春樹は「初めてビーチ・ボーイズの音楽に出会った」日のことをこう回想している。
「僕は14歳で、曲は『サーフィンUSA』だった。机の上にあった小さなソニーのトランジスタ・ラジオから流れてくるそのポップソングを初めて耳にしたとき、僕は文字通り言葉を失ってしまった。僕がずっと聴きたいと思っていたけれど、それがどんなかたちをしたものなのか、どんな感触を持ったものなのか、具体的に思い描くことができなかったとくべつなサウンドを、その曲はこともなくそこに出現させていたからだ。」（『意味がなければスイングはない』、文藝春秋、2005年、36頁）
　これに類した経験を、さまざまな時代に、多くの子どもたちが味わったはずである。僕もそうだ。僕は14歳で、曲はラジオから流れてきた『プリーズ・プリーズ・ミー』だった。残念ながら、僕には村上春樹のように「僕がずっと聴きたいと思っていた音楽」に出会ったというというほどの確信はなかった。でも、これが「これまで一度もラジオから流れてきたことのない音楽」だということは確信できた。だとしたら、これが僕たちの音楽でなければならない。そう思った。

それ以外の音楽については、ラジオのＤＪや音楽評論家たちの方が明らかに詳しい。圧倒的な情報量を誇る大人たちと、昨日今日音楽を聴き出した中学生ではまるで勝負にならない。でも、これまで一度もラジオから流れてきたことのない音楽、これまでのどんなポップスとも似ていない音楽、その起源や系譜が不分明な音楽についてなら、中学生にもわずかながら勝ち目がある。楽曲や演奏者について「誰だ、これ」という情報の欠如においては大人たちと対等であり、「ここにしか勝機がない」という切迫においては中学生の方に分がある。

いつの世でも子どもたちは最新流行に敏感で、（良し悪しにかかわらず）それに飛びつく。それは「新しすぎて、それが何だか誰にとってもよくわからないもの」を享受する競争でしか大人に勝つチャンスがないからである。たぶん大人たちは、ビートルズの新しい音楽性について適切に語るためには「他のトラディショナルなポップスやジャズやブルーズを聴き込み、それと比較しないといけない」と思っている。でも、中学生にはそんな必要がない。中学生はレコード盤がすり切れるほどひたすらビートルズを聴いていればいいのである。僕は級友たちと場末の映画館に繰り出して、『ア・ハード・デイズ・ナイト』（『ビートルズがやって来るヤア！ヤア！ヤア！』という非常に発語しにくい邦題だった）を午後一杯観たことがある（その頃は「入れ替え」制度がなかったので、僕たちは段ボール箱にパンと牛乳を詰めたものをシートの下に置いて、休憩時間に食事をしながら繰り返し映画を見続けた）。そういう愚行はまともな大人にはできない。とんまな子どもだけができる。レコード盤をすり切れるまで聴き、酸欠で頭痛がしてくるまで映画館の暗闇に坐り込んでいることができるのが子どもたちの例外的な特権である。中学三年までに僕はそれまでリリースされていたビートルズのヒット曲すべての歌詞を暗記した。それほど暇な大人はこの世にはたぶんいない。「勝った」とそのとき僕は思った。

でも、だいたい音楽について「勝った」とか「負けた」とか言うのはおかしな話だ。正直に認めるけれど、僕のビートルズ経験は純粋に音楽的なものではなかった。あれは「新奇なもの」への理解度を競う、世代間でのヘゲモニー闘争の一種だったと今では思う。

1966年にビートルズが来日したとき、僕は彼らが投宿したヒルトンホテルの向いにある高校の1年生だった。直線距離にして数百メートルのところにビートルズがいた。だが、高校生の僕にとってその距離は絶望的に遠かった。それまで一度も足を踏み入れたことのない高層ホテルを銀杏の枝の隙間から見上げて、ビートルズはもう僕たちのアイドルであるより以上に、大人たちが仕切る巨大なエンターテインメント・ビジネスのプレイヤーなのだということを僕は思い知った。ビートルズが何であるかを大人たちはすでに僕たちとは別の仕方でよく理解し、彼らを潤沢に享受していたのである。

あの年、ビートルズの東京公演を生で聴くことのできた高校1年生がいったい何人いただろう。政治家や財界人や芸能人の関係者で、コネを使ってチケットを手に入れることのできた者はいただろうけれど、彼らはそういうことができるという点ですでに「小さな大人」であり、映画館の暗闇で頭痛と尻の痛みに耐えることが「熱狂すること」だと信じていた中学生とは無縁の衆生である。皮肉なことだけれど、空間的にビートルズが僕にとって一番近くにいた1966年の6月に「僕のビートルズ」は無限に遠い存在になっていた。

だから、僕は1970年にビートルズが解散したときに、正直言って、少しほっとしたのである。ビートルズはもういない。もう存在しないバンドの音楽をいつまでも哀惜するような暇はメディアにも音楽ビジネス業界にもない（でも、僕にはある）。事実、人々はすぐにビートルズのことを忘れた（四人の個人的な活動は続いたけれど、それはもう「ビートルズ」のものではない）。

僕が部屋の壁に四人の写真を貼ったのは73年に自由が丘の部屋に引っ越したときのことである。メディアは次のアイドルを探すことに忙しくて、もうビートルズについて言及することはまれになっていた。四人の写真は僕にとって「遺影」のようなものだった。そして、死者がしばしば生前より身近に感じられるように、ビートルズが存在するのを止めてから、人々がビートルズのことを忘れ始めてから、ようやく僕はジョンとポールとジョージとリンゴを再びとても身近に感じるようになった。

（『サンデー毎日』２０１６年６月28日号）

ペットサウンズの思い出

最初にビーチ・ボーイズを聴いた日のことは思い出せないけれど「ビーチ・ボーイズの音楽を聴いているうちに胸が締め付けられるような思いをした最初の日」のことなら覚えている。それについて書こうと思う。

60年代、僕は熱心なビーチ・ボーイズ・リスナーではなかった。ラジオではよくかかっていたし、レコードを借りて聴いたこともある。でも、自分では買わなかった。僕はビートルズやマイルスやコルトレーンのアルバムを買っていたからだ。ビーチ・ボーイズはそれらの音楽に比べるとずいぶん微温的なものに思えた。時代はもっとぴりぴりした、もっと批評的なものを求めていたし、僕は時代の風儀にたいへん忠実な子どもだった。

１９７０年に（何だか忘れたけれど）つらいことがあって、不意にビーチ・ボーイズが聴きたくなった。でも、レコード店にはビーチ・ボーイズのアルバムは置いてなかったし、友だちの誰もレコードを持っていなかった。ビーチ・ボーイズ向きの時代ではなかったのだ。僕は探すのをあきらめた。

それから僕は結婚した。妻は僕の中にある「ビーチ・ボーイズ的なもの」をあまり評価してくれなかった。たしかにイノセントでお気楽で、半パンとゴム草履とサングラスがデフォルトであるような青年はこれから社会的上昇を果たさねばならない貧しい夫婦の配偶者としては好ましくない。僕は彼女と暮らした15年間、ビーチ・ボーイズを封印した。

89年に彼女は去り、僕は幼い娘と残され、同居者の許可を得ることなしに音楽をかける権利を回復した。その最初の週にビーチ・ボーイズのヒットソングを収めた二枚組ＣＤを買った。『God only knows』を聴いたときに僕は泣いてしまった。40歳に近い中年男のくたびれた外皮の下で、冷凍状態で生き残っていた「ビーチ・ボーイズ的なもの」があのファルセット・ヴォイスを聴いたとたんに、ばりばりと外皮を破って表に出てきた。そんな感じがした。それから二年間ほど僕はビーチ・ボーイズとモーツァルトだけを音楽的滋養にして生きていた。

12年後に成長した娘が家を出るときに「これ、ちょうだい」と言ってその二枚組ＣＤを持っていった。その音楽は彼女にとって「子守歌」のようなものだったからだ。音源がなくなったので、僕は『ペットサウンズ』のＣＤを買った。発売されてから35年が経っていた。

（『大人のロック！』２００８年夏号）

音楽との対話

締め切りが迫っているので、日記なんか書いている暇はないのであるが、昨日の「音楽との対話」で心温まる事件があったので、ひとことだけ。

「音楽との対話」というのは、音楽学部の先生と文学部、人間科学部の教師とが何組かペアになって一組が三週にわたり、異文化交流・異種格闘技をする様子を学生さんにご覧いただくという結構の授業である。

よいアイディアである。

私の相方は声楽の斉藤言子《ことこ》先生である。

斉藤先生とは「会議仲間」であって、この二年間たいへん長い時間を会議で共に過ごした。

「会議仲間」というのは「戦友」というか、「ともにまずいものを喰った仲間」というか、「思わず、とんとんと相手の肩を叩きたくなる」関係である。

というわけで、斉藤先生とは仲良しなのである（斉藤先生のご主人が日比谷高校で私のイッコ先輩という奇縁もある）。

私は音楽に限らず人間の発する音韻の選択に興味があり、声楽家の斉藤先生にじっくりとその辺のお話を訊こうと思って、この授業を楽しみにしていたのである。

先週が第一回で、イントロは大瀧詠一師匠の「恋するふたり」。「幸せな結末」のＣＤが棚を探しても見あたらなかったので（だいたい授業の1時間前に準備を始めるという態度がいけない）、「カ行」「ガ行」の発音と鼻濁音というテーマであったので、師匠の近作の方を持っていった。

これが思いがけなく「当たり」で、師匠はこの曲を「カ行」音韻で決めまくっていたのである。

「つかみ」はこんな具合である。

春はいつでも　トキメキの夜明け
奏でるメロディー　恋の予感響かせ
Boy meets girl Girl meets boy
青い空の下で　奇跡のように　めぐり逢う

わずか4行のうちに、「キ」「キ」「け」「か」「こ」「か」「か」「き」と8音カ行音が畳み込まれている。

そして聴かせどころは真ん中のBoy meets girl Girl meets boyなのであるが、ここでは師匠のもっとも得意とする鼻濁音「んが〜」が朗々と二度にわたり響きわたる構成となっているのである。

私どもはポップスの歌詞を意味レベルで評価する傾向があるけれど、人間の声が「楽器」である以上、歌詞における音韻の選択には必ずや歌手ごとに「偏り」があってしかるべきなのである。

音韻選択の特殊性については以前このブログでも書いたけれど、小学校の学級内で「エ」音が耳につきだしたら危険信号だということを現場の先生が報告していたことがある。「うるせえ」「しね」「だまれ」「だせえ」「うぜえ」……といった「エ」音で文末が終止する文は攻撃的なニュアンスをともなう。

「イ」音もまた、ある種の緊張感をもたらし、聴き手に「ペンディング」された感じ、宙づり感をもたらす。

日本語文法では「イ」音は連用形に用いられる。

お忘れのかたも多いであろうが、現代文法では「ます」を続けるかたちが連用形である。下一段活用（聞こえる→聞こえ）を除く、五段活用（立つ→立ち）、上一段活用（用いる→用い）、カ行変格活用（来る→き）、サ行変格活用（する→し）の四つの活用形において連用形はご覧の通りいずれも「イ」音を取る。

つまり音韻としての「イ」には、「このあとまだ音が続きますよ」という非終止感と浮遊感をもたらす効果がある。

そして、おそらくこれは万国共通なのである。

だから「イ」音を響かせると、歌は「不安」や「とまどい」や「ためらい」といった情感を帯びることになる。

というところで、「イ」音をばりばりに利かせた名曲を一つお聴かせする。

キャロル・キングの Will you love me tomorrow である。

これは１９７１年のキャロル・キング最大のヒットアルバム（３０２週にわたって全米トップ１００にトチャートインしたギネスブック的ヒット）「つづれ織り」（*Tapestry*）に収録された名曲中の名曲であるが、作詞はキャロル・キングの夫のジェリー・ゴフィン。

Will you love me tomorrow の歌詞は [i] 音の乱れ打ちという特殊なものとなっている。「つかみ」はこんな感じ。

Tonight you're mine completely
you give your love so sweetly
Tonight the light of love is in your eyes
But will you love me tomorrow

聴けばわかるけれど、最大のきかせどころは「コンプリ〜トゥリ〜」と「ソ〜スウィートゥリ〜」の「リ」責めである。その他に tonight, mine, give, light, is, in, eyes, will, me と随所に [i] 音が響きわたる。

そしてこの歌は「一夜をともにすごして、夜明け前のベッドで男の寝姿をみつめている女の不安」を歌ったものであるから、[i] 音の選択はたいへんに正しかったのである。

それと同時に、作詞のジェリー・ゴフィン自身が妻キャロルの発する音の中で、とりわけ [i] 音を好んだという可能性も棄てきれない。

作詞作曲を夫婦で行うペアは多いが、これはヴォーカリストが自分で作詞するより、「ヴォーカリストを愛する人」が作詞した方が「エロティックな音韻」についての選択が適切であることが経験的に知られているからである。

私はジェリー・ゴフィンが妻が彼に語りかけた言葉のうちで、[i]の音韻をもっとも愛したという解釈を好むのである。

斉藤先生はこれを聴いて、さっそくイタリアのオペラのアリアでも[i]音の乱れ打ちというのがあります……とすっくと立ち上がって歌い始めた（声楽家はこれができるのが強みである）。

このアリアはやはりある種の「不安」や「緊張」を意味する内容であった。

そんな感じで、次々とＣＤをかけながら、人間の出す声とはどのようなものかを３時間にわたって論じたのである。

聴かせたのは師匠とキャロル・キングの他にジェームズ・テイラー、ビリー・ホリディ、エラ・フィッツジェラルド、カレン・カーペンター。

いずれも発声法に独特の工夫のあるシンガーたちである。

次回は倍音について論じ、声明とホーミーの音源を聴かせたあとに、学生たちに倍音声明を実験してもらう予定である。

一回目の授業が終わったあとに、学生がやってきて、「先生、今日の授業、ツボにはまりました」と紅潮した顔で告げてくれた。

うれしいことである。

二回目の授業のあとには、別の学生が「さきほど聴かせてくれたジェームズ・テイラーの曲名をもう一度教えてください」と言ってきたので「Handy man」というタイトルをご教示する。

JTのHandy manはJ・D・SoutherのSimple man simple dream、Neil YoungのOnly love can break your heartとともに私のオールタイム「鼻声男性シンガー」ベスト3の一曲なので、「いい曲ですね」と言われてちょっと感動してしまったのである。

（ブログ２００７年5月17日）

シープヘッド・ベイの夜明け

Goffin & King のコンピレーションＣＤを買った。

ジェリー・ゴフィンとキャロル・キングが１９６１年から67年までに共作したヒットソング（ヒットしなかったものもある）が収録されている。

ウチダ的なゴフィン＝キング作品のベストは Take good care of my baby と Will you love me tomorrow だけれど、それは収録されていない（ちょっと残念）。

でも、ライナーに Will you love me tomorrow をつくったときのエピソードが書いてあった。

佳話なのでご紹介したい。

「ジェリーの話。そのころ僕は研究所の技術者として化学者の助手をしていた。キャロルは秘書として働いていた。彼女のところにドニーから電話があって、ザ・シレルズが曲を探しているると言ってきた。僕は海兵隊予備役に編入されていて、その晩そのミーティングがあった。9時ごろ家に帰ってきたら、テープレコーダーに（僕たちはレノルコのテレコを一台持っていたのだ）メロディが吹き込んであって、ピアノの上にメモが置いてあった。『ドニーがこれを欲しがっています。シレルズ向きのメロディだと思います。歌詞書いてね。わたしはママと麻雀してきます。』そこで僕はオープンリールのテープを聴いた。そして、すてきなメロディだなと思った。歌詞はすぐ浮かんできた。キャロルが帰ってきてから、僕たちはいっしょにブリッジを書いた。僕たちはそのころ一台の車を共有していた。彼女が車を使うときは僕は地下鉄で通勤していた。僕が車を使うときは彼女が地下鉄。僕たちはブルックリンのシープスヘッド・ベイに住んでいた。キャロルは翌日は仕事に行かなくてもよい日だったので、僕を仕事場まで乗せてから、ドニーのところに『明日も愛してくれる？』を持っていった。」

この曲をシレルズが歌って、1960年11月にビルボードのトップ100に入った。

それから二ヶ月後。

「キャロルとドニーが僕の働いている研究所に来た。キャロルが言った。『ジェリー、あなたもう働かなくてもいいのよ。ドニーがアドバンスを1万ドルくれたの！』レコードはビルボードの1位になっていた。おとぎ話みたいだった。」

去年の「音楽から始まる知の世界」で私は斉藤先生と次々とお気に入りのCDをかけながら音韻の美しさについて話していた。

そのときにある種の音韻がきれいに響くのは人によって違うという話をした。

例えば大瀧詠一師匠は鼻濁音の [ga] の音が美しい。

だから『幸せな結末』では「きかせどころ」でこの鼻濁音を響かせている。

キャロル・キングは [i] の音が美しい（これはわりと例外的なことである）。

だから、ジェリー・ゴフィンは Will you love me tomorrow を書いたときに、この若い妻の歌声のうちでもとりわけ彼が愛していた [i] 音を「きかせどころ」で無意識のうちに選択したのではないか、というのが私の仮説であった。

今日ライナーを読んで、ジェリー・ゴフィンがどんな気分でこの歌詞を書いたのか、ご本人からの証言をうかがったわけである。

ジェリーくんは海兵隊予備役のミーティングのあと家に帰ってきた。

たぶんすごく「マッチョ」な雰囲気のミーティングだったのだろうと思う。

ジェリー・ゴフィンはハイウェイ軍曹（クリント・イーストウッド）が新兵訓練係の担当だったら、かなりきびしく訓練しなければものになりそうもないタイプの青年である（写真をみればわかる）。

だから、けっこう「ぐったり」して帰宅したのだと思う。

そして新妻キャロルの優しい声で癒されたいな……と思っていたら、妻はテープに曲を残して、麻雀（！）に行ってしまったのである。

哀号。

そして、ひとり台所のテーブルの上で（たぶんそうだと思う）、テープに録音されたメロディの上に、彼が今キャロルのその口から自分に向けて言って欲しい言葉を選んで、歌詞をかりかりと紙に書いた。

たぶんそうだと思う。

Tonight you're mine completely
You give your love so sweetly
Tonight the light of love is in your eyes

この冒頭の三行は「事実認知」的な歌詞ではない。
ジェリーくんの「今夜」についての予祝の歌なのである。
そこにキャロルが帰ってきた。
でも、二人はベッドに行く前にする仕事があった。

We both wrote the bridge

「僕たちはいっしょにブリッジを書いた。」
「bridge」というのはこの曲の歌詞ではたぶん次の部分のことだと思う。

Tonight with words unspoken
You say that I'm the only one
But will my heart be broken
When the night meets the morning sun

この歌詞を書いているころにたぶん夜はしらじらと明け初めていた。

もうそろそろ二人のうちどちらかが勤めに出かけなければならない時間である。

この歌詞をメロディに乗せているとき、ジェリー・ゴフィンは21歳、キャロル・キングは18歳である。

ブルックリンの貧しく若い夫婦が狭いアパートの台所で（台所にこだわってごめんね）、自分たちが今、これからあと数十年、もしかすると百年を超えて歌い継がれるかもしれない世界的名曲を作り出しているのだという予感に震えている。

その高揚感はいかほどのものであろうか。

二人は見つめ合いながら、自分たちは自分の天才を開花させるもう一人の天才を今目の前にしているという奇跡に驚嘆した。

でも、現実にはジェリーくんは研究所の下働きで、キャロルくんは秘書である。

もうすぐ出勤の時間である。

But will my heart be broken
When the night meets the morning sun

「でも、夜が明ける頃には、私のこのわくわくした気分は消え去ってしまうんでしょうね」

でも、まだ夜明けまではもう少し時間がある。

それまではこの夢の続きを見させてほしい。

明け方の淡い光が差し込むブルックリンの安アパートの台所でこの曲を書き終えて、見つめ合っている二人の姿を想像すると、どうしてこの曲が歴史的名曲になったのか、その理由がわかるような気がする。


（ブログ２００８年４月18日）

特別対談

内田樹×平田オリザ

平田オリザ

1962年生まれ、東京都出身。国際基督教大学在学中に劇団「青年団」結成。劇作家・演出家、芸術文化観光専門職大学学長。江原河畔劇場芸術総監督、こまばアゴラ劇場芸術総監督。2002年度から国語教科書に掲載されている平田のワークショップ方法論により、多くの子どもたちが、教室で演劇を創る体験をしている。代表作に『東京ノート』（岸田國士戯曲賞受賞）、『その河をこえて、五月』（朝日舞台芸術賞グランプリ受賞）、『日本文学盛衰史』（鶴屋南北戯曲賞受賞）など。

地域を限定して「小さな公共」を背負う

内田　まずは今春に開学の芸術文化観光専門職大学についてお聞かせいただけますか？

平田　推薦入試や一般入試には合わせて621人が志願してくれて、倍率は7・8倍でした。総合型選抜（旧AO入試）は出願がなかった県が4県しかない。全国から満遍なく出願してくれて、ほとんどが第一志望です。

受験してくれたある地方の高校生は、一年間オーストラリア留学経験がある。私たちの世代なら出願時に国際的に活躍する人間を目指しますって書くようなところですが、彼女はオーストラリアに一年暮らして、地方都市には商店街もあって、みんな一人ひとりが暮らしや趣味を楽しんでいる。夕方5時には会社も終わって、音楽をやったり演劇を見たりという状況を目の当たりにして、なぜ自分の地元はこんなに寂しくなってしまったのだろうと感じたそうです。だから、豊岡で4年間アートと観光について学んで、地元に戻って地域おこしに貢献したいと書いていました。

内田　偉いなあ。

平田　中央志向がなくなっています。学生たちは英語も学ぶけど、それは国際社会で戦うための英語ではなく、地元を国際化するための英語ということを非常に理解しています。

内田　子どもの頃からずっと「英語ができるグローバル人材になれ」というタイプの抑圧を受けてきたので、「グローバル」という文字列を見るだけで寒気がしてくる子がけっこういるんじゃないかな。

平田　グローバルで戦える人は海外の大学に行きますからね。だから良いでしょ、みんなが戦わなくても、と思います。

内田　僕も本当にそう思います。グローバルに活躍したいという人はどんどん海外に行けばいい。でも、自分一人の才覚で、質の高い仕事をして有名になって、名声も地位も得るという目標だと、実はあまり元気が出ないんですよね（笑）。何かを背負わないと。「70億の人類のため」というような大きな話じゃなくて、もっと地域限定的な、手に触れることができる人たちのために何かをするという方が人間は力が出る。観念的な公共じゃなくて、タンジブルな公共のために努力するとき人間は限界を超えられる。そのことに気づいてくれたというのは、今の高校生は侮れないですね。

平田　その高校生に象徴されるように、多くの生徒が、やがては地元に帰りたいと言っています。それは豊岡市の隣にある福知山公立大学でも聞いた話です。専門職大学では地元が少なくて、兵庫県からは1割ほど。福知山公立大学はさすがに地元出身者が多いですが、それ以外の受験者は全国の人口10万人くらいの規模からの生徒が多く、その子たちは地元に戻ることを前提に学ぶ傾向があります。

専門職大学がいいスタートを切れた理由の一つとしては、観光とアートを両方学べる大学は今までになかったことです。これは実は設置審（大学設置・学校法人審議会）でも観光とアートについての学問的な関連があるのかと厳しく言われました。でも、観光庁も文化庁も今は文化観光政策として打ち出していますが、学問的な体系や過去の蓄積はありません。科学研究費でも新しいことをしろと言うのに、審査の段階になると学問的な裏付けがあるのかと言われる。ダブルバインドだと思うのですが、すごく大変でした。でも、僕は「大きな隙間」と呼んでいますが、そうした領域を見つければ、学生が来たいと思う分野がまだまだあると思います。

それができないのは日本の大学の新陳代謝が止まってしまっているから。ご承知のように大学の教員というのは自分より優秀な教員は採らないので（笑）。

内田　そうなんですよね（笑）。だから縮小再生産になってしまう。

平田　大学はそうした傾向があるので、僕は20年間いろんな大学に行って成功しては嫉妬によって足を引っ張られることを繰り返されてきました。だから学長になる以外に選択肢がなかった（笑）。本当はまだまだ地方の大学が生き残るための戦略はあると思いますが、今の日本の大学は変わる元気が無くなっています。

内田　戦略的なアイデアがないんですよ。

平田　だから専門職大学では、相当優秀な学生が揃いました。

内田　それは楽しみだな。僕も講義を担当するんですけどね。講義じゃなくて学生と差し向かいでバチバチと話し合うスタイルもやりたいですね。ちなみに男女比はどうですか？

平田　８割女性ですね。

内田　そうだと思いました！

平田　学生の８割は女性ですが、教員における女性の割合は25％しかいません。これを「ガラスの天井」と言いますが、本当にガラスの天井なのでしょうか、ということを入学式のスピーチで話そうと思っています。

特に新設の大学は、認可申請が非常に厳しく、一人ひとりの教員の審査も厳しい。学歴だけではなく、教歴も審査の対象になります。しかも40人の教員と言っても40人をざっくり採用するわけではなく、専門分野ごとにその教員が授業を担当できるかどうかを含めて審査されます。

例えばマネジメント系の教員は現状では女性が圧倒的に少ない。それだけの教歴を持った教員がいないわけです。つまり、どこかで強い政策などを行わない限りは変わらないということです。だからこれは「ガラスの天井」ではないのではないか。そのためにどう戦うかということをこの４年間で学んでほしい、ということを学生たちに話そうと思っています。

内田　２割の男子学生は「俺らには何かメッセージないんですか？」って思うんじゃないですか（笑）。

平田　男性へのメッセージとしては「君たち、これは女性だけの問題ではない。ジェンダーをめぐる、森喜朗氏の発言に端を発した問題で、日本の男性は女性差別をするだろうという偏見を世界は持っている。君たちはその偏見と戦わないといけない」と話そうと考えています。

ちなみに今日は全米日本語教育学会の基調講演をしていました。そこで学会長が冒頭で、アジア系住民への差別についてのスピーチをなさいました。学生たちには、今はたまたまジェンダー差別がクローズアップされているが、男子学生も同じ状況なのだということも伝えようと思っています。

「演劇」を学ぶのは世界のスタンダード

平田　専門職大学では、一年生は全寮制です。朝から晩まで図書館が使えて、グループワークが多いので、いつでもディスカッションができるようになっています。

内田　日本の大学は今年あたりはたぶん6～7割くらいの学部学科が定員割れしていると思います。危機的状況です。大学のありかたを根本的に変えないと生き延びることはできないですね。

平田　兵庫県は、兵庫県立大学がすでにあるのですが、アンブレラ方式が採用されています。県立大学法人があって、今の県立大学と、専門職大学の一法人二大学という制度になっています。

内田　一国二制度ですね。

平田　そうです。一番有名なのが名古屋大と岐阜大です。

内田　へえ、そうなんですか。

平田　ご承知のように、大阪府立大学と大阪市立大学は合併を選びました。それも確かに一理あります。スケールメリットを考えると、ICT化などにすごく予算がかかりますから。ただ、スケールメリットはあるけれど、細かく見ていくと改革が成功している国公立では、例えば東京工業大学やお茶の水女子大学など、相対的に規模が小さな大学ですよね。大阪大学のように規模の大きな大学だと、なかなか改革が進みません。東京大学や京都大学でも同じです。それは、学部の力が強すぎるからです。

だから、兵庫県は一法人二大学という方式を選んでくださったのは良かった。専門職大学は全学320人と比較的小さな大学ですけど、好きなことをさせてもらっています。

内田　日本中から一年間に80人の学生を集めればいいわけですからね。そう考えると気楽ですよね。

平田　そうなんですよ、電車に中吊り広告とか打たなくてよいので。

内田　広報も必要ないですね。

平田　はい。その代わり、全国の高校の演劇部で一番優秀な子を入学させてくださいといった地道なネットワークが大事になります。

内田　平田さんが全国の中学高校の演劇部を周って伝道してますからね（笑）。長い時間をかけて平田さんが種子を蒔いてきたのが芽を出してきたわけですね。

平田　本当にありがたいことです。今回、日本で初めて演劇やダンスの実技が本格的に学べる公立大学になりましたが、これがないということが逆に恥ずかしいことなのです。例えば、アメリカの州立大学ではリベラルアーツの中で、演劇は非常に重要なセクションを担っています。韓国では国公立、私立合わせて映画・演劇学部がある大学が95ある。人口比で日本の約20倍。ここで学んだ人たちが韓流ドラマや映画を支えています。演者だけでなく、制作者側もです。韓国の俳優たちの多くは、大学で演劇を基礎から学んでいます。民族衣装を着て殺陣をやるのは授業の中にある。これは基本的なことです。

フランスでは、パリとストラスブールにあるコンセルヴァトワールがそれぞれ全学60人なのですが、大中小の3つずつ劇場を持っています。それらを学生はもちろん無料で使えて、生活費もタダ。そして、その60人の学生たちのために１００人の教員がいます。その中にはフェンシングの教員もいる。なぜなら、フェンシングができないとハムレットを演じられないですから。日本で言えば剣道の教員がいるようなことです。

どこの国でも国公立で演劇が学べる環境がありますが、日本だけは民間に頼っていた状態です。大学で学んでいるから韓流スターは時代劇も現代劇も両方演じることができる。『愛の不時着』で主演を演じたヒョンビンも中央大学の大学院にまだ在籍しているんじゃないかな。優秀な俳優は大学院まで行きます。だから、とても知的であり、海外の古典にも精通しています。海外がそのような状況の中で、日本が勝てるわけがない。

内田　Netflixのラインナップを見ていても、日本と韓国では作品数の桁が違いますよね。

平田　まず、制作にかけている予算が違いますよね。それからインフラが違う。韓国は、今はシナリオも非常に研究しています。韓国の場合、シナリオはチームで作ります。

内田　そうなんですね。

平田　あらゆる国のシナリオを研究しています。韓国は国家の歴史自体は新しい国なので、そういう謙虚さがありますよね。あと、よく言われるように韓国は市場が狭い。日本は1億2000万人の成熟した市場を持っているので、これまでは日本国内をターゲットにするだけで回していけました。でも、それでは全く国際的競争力を持ちません。

例えば、アイドルにしてもダンスも歌も圧倒的に韓国のアイドルの方が上になる。そうじゃないと普遍性が出ませんから。クアラルンプールやジャカルタなどの空港を降り立つと韓流のポスターが目立ちますよね。それらは韓国のコスメ、化粧品の宣伝です。これは半ば国策で行われています。

ちなみに文化予算はGDP費でいうと、韓国は日本の10倍も多い。この状況で勝てるわけがありません。むしろ、俺たちこれでよく頑張ってるよな、と褒めてほしいくらいの状況です。

内田　サラリーマンからの身の上相談に応えるという雑誌の仕事で、面白い相談がありました。「コロナ禍でリモートワークになって家から出なくなり、人間関係がだんだん希薄になってきている。だんだん気持ちが滅入ってきているんですけどどうしたらいいでしょう?」と。どうしたらいいんでしょうって言われても……と思ったんですけど。そうだ！　と苦肉の策で、「韓流ドラマをNetflixで見なさい」と言いました。韓流ドラマはとにかく人間関係が濃いから（笑）。

人間関係が希薄で孤独を感じているのなら、親子、夫婦、兄弟、恋人、友人が愛憎こもごもの濃いドラマを服用すればいいんじゃないかなと思って。韓国ドラマを毎日見ていると、登場人物がだんだん身内みたいに親しく思えてくるじゃないですか。毎晩、続きを見るとき、「おおい、みんな元気にしてたか?　飯食ったか?」っていう感じになる。そういう感覚って、なかなかそれ以外のドラマでは経験することがないですから。

コロナ禍の一年間、Netflixにものすごい数の人が登録したんですよね。そのほとんどが韓流ドラマを見ています。それを見て泣いたり笑ったりしている。韓流ドラマはコロナ禍で社会的な接触機会が減って孤独になった日本人の精神衛生の改善にずいぶん貢献してくれたのではないかと思いますよ。日本のドラマでは、孤独を癒されるような話って、あまりないんですよね。

平田　日本の場合は、マーケットを意識して、ドラマを国内向けに狭く作っていますからね。例えば恋愛モノが多いんですけど、ターゲットにしている人たちにはいいのですが、普遍性はなかなか獲得できないですね。

地方に資源を「分散」させる

内田　どの大学もどうしていいかわからなくて右往左往している時に、専門職大学一人勝ち状態になりましたね。

平田　いえいえ、一人勝ちじゃないんですけど（笑）、一矢報いたいという感じはあります。「小さく」すればいいって思うんですよね。

内田　そうなんですよ、本当にそう思います。これまでは「スケールメリット」というと、とにかく大学の規模を大きくすればいいという考え方でしたけれど、「小さく」するという新しいアイディアが出てきたことはとても重要だと思うんです。教育機関の規模を小さくした場合の「スケールメリット」もあるということ。小さければ、かなり特殊なカリキュラムをしていても「そういう科目を履修したい」という学生たちが来る。そういう「変わった学生」だけを集めれば何とかなるという規模でやればいいわけです。毎年何百人何千人も入学者を集めないと財政的に回らないという仕組みはこれからはリスキーですよね。

平田　例えば、ＩＣＴの給与計算などは、それこそ「文科省でインフラを整備して」という話です。

内田　コンピュータの入れ替えを五年に一回やると、そのつど何億円とかかりますから。校舎は一回建てたらあと何十年か使えるけれど、コンピュータはどんどんヴァージョンアップしないと外の社会の情報環境に追いつけない。でも、それって社会が変わっているわけですからね。大学単体でできることじゃない。文科省が予算つけてくれないと無理ですよ。

平田　専門職大学では、地域も良かったと思っています。海外に目を向けると、オックスフォードやハーバードなどの大学を見ても、首都にありません。学問に集中するためには、あまり首都にない方がいいと思いますが、アジアの大学はどうしても近代化を急がなきゃいけなかったので、経済や政治、学術、芸術の中心を全部一か所に集めてしまった。その方が効率はいいですが、非常にリスキーであることが、コロナ禍や災害のことを考えると見えてしまいました。

だから早く分散しないといけない。僕はこれからは豊岡が演劇の中心でいいと思っています。その方が安全だと思いますし。

また、一番いいのは東京藝大を地方に移すことです。文化庁を動かすよりも断然楽ですし、東京藝大が上野になければいけない理由は全くありません。それほど遠くじゃなくても、例えば宇都宮や福島、仙台あたりとか。

フランスはご承知のように中央主権の国ですが、それでもコンセルヴァトワールはパリとストラスブールとか、芸術系のグランゼコールはリヨンにあります。

内田 そうなんですか。

平田 文系のグランゼコールである高等師範はパリとリヨンにそれぞれ2つあるんですけど、芸術系のものはリヨンに集約されています。芸術大学が首都にある必要は全くありません。

内田 そうですよね。演劇祭も、エクサンプロヴァンスとかナンシーとか地方の小さな都市に散らばっていますからね。資源を分散していくというのは賢いやり方だと思います。でも、日本人は一極集中が好きです。

平田 今年の正月にサンテレビが、井戸敏三兵庫県知事とiPS細胞研究所所長の山中伸弥先生の対談を放送していました。その時に専門職大学の話が出て、知事が山中先生に大学について説明したら、山中先生が「僕も行きたい」と。知事が「ぜひ教えに来てください」と言ったら、「いや、僕は学生として行きますよ」と山中先生がおっしゃった。

さらに、観光とアートについての話になった時に、山中先生が「僕もヨーロッパなどで仕事をすることが多いので、ヨーロッパだとリゾートに昼のスポーツと夜のアートがあると。日本ではリゾートは多いけれど、芸術はなぜか都市に集中してしまっていて、夜の楽しみがない。だからこの専門職大学は本当に時勢に適ったものです」と、山中先生が言ってくださったので本当にありがたいなと思いました。

専門職大学の立地は、城崎や但馬の地域性にも合っています。今後、国際的なリゾートとして発展していくためには、スポーツはスキーの他にマリンスポーツなども最近は盛んになってきていて、あとは夜のアートがあれば、アジアの富裕層の長期滞在が狙えるようになると思っています。

内田　なるほど。平田オリザ、相変わらず戦術を練っておりますな（笑）。こんなことを言う人、日本にいませんからね。平田さんだけですよね、こういうこと考えているの。

平田　いえいえ、全部後付けですから。

内田　「芸術立国」は僕も前から言っていたことなんです。日本はもう製造業では国際競争力がない。ソフトで行くしかない。やるとしたら、医療、教育、観光、エンターテイメントが柱になると思っていました。20年前であれば、医療も教育も観光も、東アジアで日本は一人勝ち状態でしたから、その時にこういったセクターに資源を集中しておけば、世界標準を創り出せたのに。この20年間、医療と教育を日本の基幹産業にするという発想は官民のどこにもなかったですね。どうやってそういう優位な領域で世界的なレベルを実現するかを工夫しないで、管理コストの削減を優先した。教育でも医療でも、その領域を創造的なものにするためには、フリーハンドを与えて、「どんどん好きなことをやってくれ」というのが結果的には一番費用対効果がいいのに、「選択と集中」と称して、短期的にリターンが期待できる事業だけに資源を集中しようとした。その結果、日本からはイノベーションが生まれなくなった。今はアジア諸国でも、高等教育を受けるなら、医療を受けるなら「まず日本に行こう」という人はほんとうに少なくなりました。

いま、日本の大学院はかなりの部分まで中国からの留学生で持っているんです。それでなんとか定員を維持できている。大学院進学者が減った理由の一つは、今の大学生の親というと40～50代くらいですが、その層が貧困化していることです。もう子どもの教育に出すお金がなくなっている。

平田　専門職大学が人気なのも、一年生は全寮制で家具なども全部付いて、一人ひとりは個室。4人ワンユニットで台所が付いている。それらで一人、1ヶ月3万円程度です。

内田　それは安いですね！

平田　東京の私立大学に行かせたら初年度300～400万円近くかかりますからね。

僕は海外の日本語教育のお手伝いもしていますが、日本の大学が選ばれる理由は、最初の動機はほとんどマンガやアニメです。コロナ禍になる前、中国の大連外国語大学の日本語学科に講演会で呼ばれて行きました。僕のアテンドについてくれた3年生の学生は日本語が非常に堪能。日本の大学に留学すると言うので、「どこに留学するんですか？」と聞いたら「私は寺山修司に興味があるので、弘前大学への留学を考えています」と。

内田　へえ。

平田　学生たちがものすごく優秀です。しかも日本の大学を選ぶ理由は、日本のソフトパワーです。そうしたブランドイメージが日本にまだ残っています。でも、それは「まだ」という話で、韓国にはもう抜かれつつあります。ここを伸ばしていく以外に日本が生き残る道はないと思いますが、日本の政策は残念ながらそうなってはいません。

政府が公認しないところに意外な「鉱脈」がある

内田　東アジア諸国と比べて、比較にならないくらい分厚いリソースを日本が持っている分野があるんです。韓国や中国に比べても圧倒的なアドバンテージを持つ学的領域はマルクス研究です。これはもう東アジアでダントツのトップです。

経済学者の石川康宏さんと共著で、『若者よ、マルクスを読もう』というシリーズを出しているんです。『共産党宣言』から『資本論』までを代表的な著作を高校生にもわかるようにかみ砕いて教えてゆくという趣向の本なんですけれど、この本の海外語訳が出たのが中国と韓国なんです。中国では、中国共産党の中央紀律委員会が「幹部党員必読」に推薦してくれた（笑）。日本の高校生向けの概説書が、中国や韓国でなぜ読まれるのか、理由を考えました。韓国の場合は分かるんです。戦後もずっとマルクスは禁書でしたし、今も「マルクス主義を賛美する図書」は法律違反なんです。だから、マルクス研究の蓄積がない。

中国の場合は、よくわからないんですけれど、たぶん中国共産党がマルクス解釈を独占しているから、マルクスの「新しい読み方」が出て来る余地がないからじゃないかと思います。マルクス解釈を党が統制すると、対立はなくなりますけれど、教条化すると、９２００万人の中国共産党員たちはマルクスを読まなくなる。つまんないですからね。でも、マルクス主義は国是の一部であるわけですから、せめて幹部党員くらいは基本文献に目を通しておいて欲しい。そこで日本の高校生向けに書いた本が選書された、ということじゃないかと思います。

最近、哲学者の斎藤幸平さんが『人新生の資本論』を、政治学者の白井聡さんが『武器としての「資本論」』という本を出しました。若い世代の学者たちがマルクスの理論で現実を切れ味よく分析して、それがベストセラーになっている。こんな現象が見られる国は世界的に見ても珍しいと思います。それで、思わぬところに競争優位があるなと気づきました。日本政府は、「クール・ジャパン」なんてバカな事業に金を使わないで、マルクス研究に助成金をつければいいのに（笑）。人が気がつかないところに意外な鉱脈があるんですよ。

平田　豊岡市に城崎国際アートセンターという、世界中からアーティストを呼ぶレジデンス施設を２０１４年に作ったのですが、非常に人気です。毎年20数カ国から１００件近くの申し込みがあり、その中から15件を選びます。様々な勝算を考えてオープンしましたが、一つだけ全く想定していなかったことがあります。それは、東南アジアの経済発展です。タイやマレーシアのアーティストたちが自分で自国の助成金を取ってこれるようになったのです。日本のブランドイメージはまだ高いので、城崎国際アートセンターのレジデンスアーティストに選ばれたというお墨付きをもらうと、彼らの自国で助成金が下りる。
非常にニッチな話ですが、かつてイギリスがイギリス病と言われながら、でもやっぱり過去の栄光で食べていたわけですよね。その中からビートルズなどが生まれました。

内田 そうですね。

平田 日本には、もはやそうした生き延び方しかありません。功罪あるし、賛否もあるけど、なんだかんだ言いながら、日本は150年間アジア唯一の先進国を張ってきたわけだから。

内田 まだ、ちょっと蓄えが残ってるんですよね。

平田 「やっぱりイギリスは伝統があるよね」というのと一緒で、「日本はやっぱり伝統や民主主義などがあるよね」というところで食っていく以外にないのではないか。

内田 そうですね。60年代のイギリスで「ブリティッシュ・インヴェイジョン」と呼ばれたものがありましたが、あれはまさに英国病の最中に起きた現象なんですよね。七つの海を支配した大英帝国が戦後一気にシュリンクして、大西洋に浮かぶ小さな島国にダウンサイズした。世界帝国が島一つになったんですけれど、そのマイナスの影響というのが「英国病」と呼ばれる社会的停滞程度で済んだ。よく考えるとすごいことですよね。帝国が瓦解したのに、「最近あんまりパッとしないな」というくらいのことで済ませたんですからね。
それでも「ゆりかごから墓場まで」という高度福祉制度を進めたことによって、60

年代に二十歳くらいになったワーキングクラスの子どもたちは、親の代だったら絶対に行けなかった専門学校や大学に進学できるようになった。親の世代にちょっとだけでも余裕が出てくると、その子どもたちの世代が創造的になるんですよね。「お父ちゃん、ギター買って」と言ったら、「しょうがねぇな」でエレキギター買ってもらった子たちがバンドを組んだ。それがビートルズであったり、ローリング・ストーンズであったりしたわけです。あの時代のイギリスの音楽や映画や演劇や美術やファッションは、ある意味で高度福祉制度の産物なんです。福祉制度は、それを最初に受益した世代にとっては経済的な支援に過ぎないんですけれども、その次の世代においては文化的なものとして開花する。そのことはイギリス・ブライトン在住のブレイディみかこさんの本で教えてもらいました。

日本の場合でも、今導入した社会福祉制度の成果が可視化されるのは、二十年、三十年後になると思います。制度の成否がわかるまでに長い時間がかかるということについて、日本の福祉行政は何も考えていないのではないかという気がします。

平田　日本の行政は本当に死にそうにならないと助けてくれないですからね。未来への投資という視点がありません。

内田　生活保護でも、行政は「今日だけでも雨露をしのげればいいだろう」というような気持ちで施しているつもりだと思いますけれど、福祉制度の意味はそんな短期的なことには止まらない。ある世代に生活の心配がないようにしておけば、その次の世代に思いがけないものが生まれるということがどうしてわからないんだろう。

平田　うちの劇団員の中に、マルセイユ在住のシングルマザーでたこ焼き屋をしている人がいます。地域の公民館にバイオリン教室があり、子どもをそこに通わせていたんです。1ヶ月くらいしたら先生から「あなたのお子さんはすごく才能があります。マルセイユ市のコンセルヴァトワールで、小学生のバイオリンの枠に一人空きがあるので試験を受けさせましょう」と言われたそうです。それで受かったんです。

フランスは国是として、才能がある人間を失うのは国益を損ねるという考え方がある。貧困層だろうがなんだろうが、才能はあまねくいる。多少の遺伝はあるにしても、どこから才能が出てくるかわからないので、きちんと才能を引き上げるシステムがあります。逆に言うとその分、ご承知のようにフランスは厳しい身分社会ですからね。

内田　『ディスタンクシオン』の世界ですからね。

平田　社会の中でほとんど逆転のチャンスはありませんが、そのフランスでさえ、そういうシステムはあります。日本は才能を引き上げるシステムを全部民間に任せています。特に、今は音楽教育が本当に厳しい状況で、地方のピアノ教室がどんどん潰れています。

内田　そうなんですか。

平田　民間のピアノ教室が日本の音楽教育を根幹から支えていたのが、少子化で成り立っていません。大手の企業が運営するピアノ教室というより、町のピアノ教室がなくなっている。それはとても危機的な状況です。

内田　長期的にはボディーブローのように効いてきますね。

反知性主義の根底には人々の「寂しさ」がある

平田　イギリスの話に戻ると、ブリティッシュ・アーツ・カウンシル、芸術評議会と訳しますが、ここがイギリスの文化政策を握っています。政権交代がある国では、教育委員会と同じで、政権交代による影響を受けすぎるとまずいということで文化政策の独立性を高めています。ナチズムからの反省もあり、これは諸外国における文化政策の基本です。

　環境問題も同じ問題を抱えています。環境政策は歴史がまだ浅いから確立したシステムがまだできていない。だからこの間のトランプとバイデンみたいに、大統領の思惑によってパリ協定に参加したり参加しなかったりする。でも、環境問題は本来そんなことがあったらだめですよね。なぜなら、人類への責任だから。でもそういうことが起こり得ます。本当は環境問題も、政府から独立した機関として環境評議会のような組織を作り、継続した政策をしなくてはいけないと思います。

昨年騒動になった学術会議も同じです。英語名はアカデミック・カウンシルですよね。

イギリスはアーツカウンシルの発祥の地で、作ったのは経済学者のケインズです。脱植民地支配の経済学でチャーチルとやりあったわけですが、この国はもう大英帝国ではないとケインズは考えた。実際に植民地からどんどん人が戻り、植民地の富裕層が難民のように入ってくる。現実に50年代以降、イギリスの地方都市が多国籍化、多民族化していきました。

ケインズは2つのことについて考えました。一つは、「イギリスをまとめるものは何か」。それは、シェイクスピアしかない。これがのちにロイヤル・シェイクスピア・カンパニーにつながります。もう一つは、逆に「多様性を理解するためにどうしたらよいか」。それに対してケインズは「芸術しかないだろう」と考えました。そして、ブリティッシュ・アーツ・カウンシルを作ったのです。でも、ケインズは初代理事長になる前くらいに亡くなってしまいました。奥さんはバレリーナで、彼自身、舞台芸術がすごく好きだった。それが礎となっていたのです。

つまり、異文化理解のためにアートは非常に重要だということです。その中でも、特に演劇は他者を演じるアートです。「なぜ、この人はこんなことをしたんだろう」「なぜ、この人はこんなことを言ったのだろう」というのが理解しやすい。だから、イギリスで演劇教育が非常に進んだという面があります。

一方で、内田さんが先ほどおっしゃった格差の問題も考えないといけない。ちょっと遠回りの話になるのですが、一昨年「あいちトリエンナーレ」の問題の渦中、ツイッターなどで「芸術家はそんなに偉いのか？」といったことが書かれているのを見て象徴的だなと思いました。昨年の学術会議の任命拒否問題が話題になった時もツイッターで「学者はそんなに偉いのか？」と書かれていました。でも、それを言ったら社会が崩壊してしまうだろうと思います。学者も芸術家も偉ぶるつもりはないけれど、専門性がないことをよしとすると、社会がアナーキーな状態になります。

確かに原発事故やコロナの問題によって、専門家の権威が揺らいでしまったと思います。ただ、これは科学コミュニケーションの問題です。世間一般の人には、科学というものは一つの答えを出すという幻想がある。だから、専門家によって言うことが違うとなると、科学全体が信用されなくなる。

だからこそ、いい意味での両論併記ができる科学コミュニケーションがもっと必要だと思います。

様々な問題で見られる反知性主義の根源は、いろいろな要因があると思いますが、内田さんがよくおっしゃっていて、僕もよく引用させていただく「身体的文化資本」の問題だと思います。トマ・ピケティらが言っているように戦争などによって社会がフラットな状態になると、ある程度は平等になるが、二代目、三代目になると身体的文化資本の格差が拡大していきます。ピケティとピエール・ブルデューを足すとそういう話になります。

でも、身体的文化資本は感覚的なものですよね。目に見えるものではなく、学歴みたいに形になるものでもない。逆に、だからこそ妬みや恨みなどが起きやすい。戦後まもなくだったら、金持ちだけが身体的文化資本を持っていたわけではなく、貧乏だけど精神は豊かということがあり得た。それがどんどんなくなってしまい、今は金持ち総取りみたいになっています。そうすると、経済的に困窮した家庭で育った子どもたちは逆転のチャンスがなくなる。

だから、「学者はそんなに偉いのか？芸術家はそんなに偉いのか？」という風に逆ギレする以外になくなってしまっているのではないか。身体的文化資本の格差が広がれば広がるほど、逆ギレする以外にない。それが今の反知性主義の根幹にあるのではないかと感じています。本来は、そうした人たちに芸術を届けたいけれど、そこになかなか届かないジレンマが常にあります。

内田　反知性主義は本当に攻撃的になってきましたよね。知的なものの価値を一切認めない。

平田　「学者が偉そうなことを言って」と言っても何も始まらないですからね。

内田　でも、国民全体が知的な資源にアクセスできるという時代は実はかなり例外的なんです。日本でも、戦後の一億総中流時代では、知的資源へのアクセシビリティは高かったと思います。戦前だったら、上流階級にしかアクセスできなかったカルチャーへの扉が開かれた。だから、ミドルクラスの下の方でも、子どもにピアノを習わせたり、バイオリンを習わせたり、バレエを習わせたり……ということが流行った。それは学習塾に通わせるとか、英語を習わせるというのとはちょっと違うんです。バイオリンなんか弾けても別に学校の成績とは関係ないんだから。結構文化的だったし、カルチャーに対する素朴な憧れがあったと思うんです。でも、それは１９７０年代くらいでだんだん下火になってきた。文化的なものへのアクセシビリティはちゃんと確保されているのに、興味を失った。そういうものかもしれないと思うんです。どの時代でも知的なもの、ハイカルチャーに興味を惹かれる人って、全人口の1割未満じゃないかな。扉が開かれていても、入ってこない人は入ってこない。だから、知的なものって、残る9割からすると「内輪の話」

にしか見えないんじゃないかな。

平田　まさにピケティが言っているように、一回ガラガラポンになってしまったから、30年代くらいの理想的な状態が起こる。逆にその理想的な状態をある年代の人たちは当たり前のように持っているから、これが瓦解している今が辛いのではないかという感じもします。

内田　大戦間期のワイマールにしても、ロシア革命直後のロシアにしても、抑圧的な政治体制が崩れると、その直後は文化的な百花繚乱がありますよね。でも、その文化的生産力も、政治体制が変わって、また抑圧的になると、一気に萎んでしまう。これはドイツ人やロシア人が悪いわけじゃなくて、「そういうもの」なんですよね。政治・経済システムが崩れて、文化的なヒエラルキーの統制や抑圧が消えた時に文化は一気に開花する。でも、なかなか続かない。文化資本がある集団に排他的に蓄積されて、文化的な階層格差が生まれて、文化的に不活性な時期がしばらく続く。そういうことをこれまで繰り返してきたんじゃないかな。

どんな国でも、国民が一斉に知的向上心に取り憑かれる時期というのが、一世紀に一回くらいの頻度で来るんじゃないでしょうか。そういう時には一気に盛り上がって、それ以外の時期はボチボチと暮らす、と。だから、僕はあまり失望しなくていいと思っています。僕も反知性主義者からはずいぶんひどいことを言われましたけど。それくらいの罵倒はスルーしてもいいんじゃないかな。これがいきなり逮捕されて、投獄されて、拷問されるというのなら困りますけれど、ただ「学者は偉そうにするな」と口で言ってるだけですからね。「偉そうにしてごめんね」で話は終わる。

平田　先ほど20年前だったらという話がありましたが、ちょうど20年前に『芸術立国論』という本を出しました。どう考えても製造業は先細りで構造改革をしていかないといけないと私は考えていました。当時、すでに労働人口の6～7割はサービス業、第三次産業にシフトしているのに教育政策は工業立国のままだった。アートというのは第三次産業の先端研究であり基礎研究なので、ここをきちんとしておかないと応用科学も出てきませんということを書きました。

上梓した当時は30代で、理論的には今も全然変わっていませんが、その後に小泉改革が起きる。小泉元首相は「構造改革には痛みが伴う」と言いましたが、この痛みは誰にもわかっていない、小泉さんにもわかっていないと思いました。製鉄業の労働者が失業して男性ストリップをするイギリス映画『フルモンティ』では、男性がストリップをするくらいの恥ずかしさに耐えるという物語です。つまり、製造業の方たちがまじめにネジを30年間回してきたのが、いきなり失業して介護の人材が足りないから明日から高齢者のお尻を拭いてくださいとはならないわけです。

そのことを10年くらい考えてきて、製造

業の人たちの寂しさも理解しないといけないと思ったのです。戦後70年の時に津田大介さんが主宰するポリタスの特集で、「三つの寂しさに向き合う」という原稿を書きました。日本はもはやアジア唯一の先進国でも、工業立国でもない。成長もしない。でも、それが問題なのではない。その寂しさと向き合うことが大事だけど、その寂しさと向き合えない人の寂しさとも向き合わないといけない、ということを書きました。

しかし、予想以上に格差が拡大していく中で、コロナ禍で人々の心が荒廃し、その寂しさとみんな向き合えなくなっていると感じます。「寂しさの歌」という金子光晴の詩があります。日本人は寂しさの釣り出しにあって戦争に走ってしまったのだという、素晴らしい詩です。〝寂しさに耐える〟というのはとても大事なことで、これが本当はアートの一番の役割だと思います。慰めたり、励ましたり、あるいは寂しさと向き合わせたり。でもここに届かないというのが大変だなと思います。

武道と演劇の身体性をめぐる共通点

内田　武道には「座を見る」、「機を見る」という言い方があります。「適切なポジション」「適切なタイミング」ということです。柳生宗矩の『兵法家伝書』にある言葉です。武道の要諦は、「いるべき時に、いるべき所にいて、なすべきことをなす」という一言に尽きます。逆に言うと、「いなくてもいいところに、いなくてもいい時に出かけて、しなくてもいいことをして」命を落とす人が多い。いつ、どこにいて、何をするのが自分の本務なのか。あらかじめシナリオがあるわけではありませんから、そのつど直感的に判断を下さなければならない。

合気道でも、どこに立ったらいいのかという、位置取りが一番大切だと教わりました。そこに自分が立つと、場の全体がまとまるというポジションがあります。そこに立つと、自分の心身が落ち着くというだけではなくて、場そのものが収まるところに収まったような感じがする。長く稽古していると、そういうことがだんだんわかってくる。いつ、どこにいたらいいのか、何をしたらいいのかまでは分からなくても、「ここではない」「今ではない」「この所作ではない」ということはわかる。正しい時に、正しい場所にいないと、微妙な「ノイズ」がする。違和感がある。それが消えるように動く。それが「座を見る」「機を見る」ということの僕なりの理解です。

Zoomのオンライン・コミュニケーションだと、そういう微細な感覚の訓練はできないんですよね。皮膚感覚として、そっちに行ってはいけないとか、押し戻されるとか、引き寄せられるとか、そうしたシグナルを感知することは、その場を共有していないと稽古できない。コロナ禍になってまだ一年ですが、もう一年くらい続くと、「座を見る」「機を見る」力が衰えてきて、言ってはいけないことを言ってしまうとか、ここで言うことじゃないということを言ってしまうとか、コミュニケーション失調が起きてくるかもしれません。場合によっては人を傷つけたり、誤解されたりするかもしれない。一度、コミュニケーションでずれてしまうと、それを回復するためには、直接会って話をするしか手立てがないんだけれど、それができない。オンラインで生じた誤解をオンラインで解くということはできないような気がします。人と触れることがなかなかできない時代に、どうやって身体性、特に身体感受性を回復していくか。これがすごく大事な問題になると思います。

平田　うちの妻も合気道をしています。

内田　私の妹弟子なんです（笑）。

平田　内田先生と師匠が同じなので、僕はよく「義理の弟」と呼んでもらうんですけど（笑）。まさに内田先生のおっしゃる通りだと思います。演劇で、俳優と演出家は何をやっているのかとよく聞かれます。セリフはすでに決まっているので、ある場所で言う。俳優がある音の高さでセリフを言った時に「その音の高さだったらあと5センチ上手《かみて》で言った方がいいよ」みたいなことを決めます。つまり、チューニングをしているのです。

演出家は何をやっているのか一般的にわかりにくいと思いますが、そうした変数があまりに多いので、演出家がそれらを調整しています。アフォーダンスに近いのですが、相手役がこの位置だったら「この角度で」または「もうちょっと高い音で入って」などのように考える。演劇の場合は主に声と身体で、それに小道具などの外的要因がかかわってきます。それで、小道具として「本を持ってセリフを言ってみようか」などと調整するのです。

コロナ禍になってオンラインで稽古をする演出家も増えています。あるタイミングでセリフを言うなど、一つの変数を固定すればできますし、それも合理的ではありますす。ただ、そこから先に進めなくなってしまうんですよね。

内田　僕は武道もやっていますが、舞台にも出てます。能楽を25年ほど稽古していますが、能舞台に出てわかったことがあります。能舞台というのは、非常に濃密な空間なんです。ワキがいて、地謡《じうたい》がいて、囃子方《はやしかた》がいて、作り物があって、その中で動くわけですけれど、そういうものが無数のシグナルを発信していて、三間四方の空間を行き交っている。そうなると空間の密度や粘り気が均質ではなくなる。密度が濃いところと薄いところが出てくる。そうすると動線が決まる。通れるところと通れないところがある。ある場所に立つと、ある所作をする以外に選択肢がないということが起こる。そういう必然性のある動きをするように道順が構成されているんです。ある意味で、役者が自己表現する余地がない。謡もそうです。この詞章はこのピッチで、この速さしかないということが決まってくる。入門した最初の日に、師匠から「よく見せようとしてはいけない」と師匠に厳しく言われました。「我を出すな」というのは一般的な心がけなのかなとその時は思ったのですが、長く稽古していると、自我があっては能にならないということがわかってきました。

平田 アフォーダンスの研究者と、俳優にモーションキャプチャーをつけたりして、いろいろな研究をしたことがあります。俳優はなぜ複雑なことを、毎回あたかも新鮮に演じられるのか。それでわかったことがあります。

舞台上にはよく小道具が置いてありますよね。例えば、机の上にペンが置いてあるとする。そのペンを、小道具係が置き忘れたりすると、俳優は特定のセリフが出てこないということがあります。そのペンを見た瞬間、ペンと意味的な連関はないけれど、あるセリフを言うと脳が記憶しているのです。つまり、様々な小道具などによって、自分のセリフ、それを言うタイミングを脳にインプットしている。

これは器械体操の選手も同じだそうです。最初は筋肉や関節の動きをシミュレーションしますが、同じように天井や壁、床などを、どの順番でどの角度で見えるかをイメージトレーニングするらしいのです。「空間のインプット」と「筋肉や関節の動きのアウトプット」を関連づけて記憶する。どうも人間の脳というのはそういう風にできているようです。

複雑な動きをしようとすればするほど、〝受容〟の方が重要になってくる。だから、いい俳優は視野や視界が広い。これをアフォーダンスでは「見え」と言います。〝どう見えるか〟ということを取り入れて、主体的な行動をする。

なぜ、アフォーダンスの研究者たちが僕たちの演劇に注目したかというと、近代演劇はとても「個」を大事にしますよね。スタニスラフスキー・システムは内面をつくって、悲しい場面だったら悲しい心理状態をつくり、それにセリフをのせる。いわゆるアングラ・小劇場は、それを批判した。人間はそんなに心理的に喋るものでないと。ロゴス中心主義からの脱却、情念やパッションとか。

でも、それはアンチ近代であって、アンチ巨人も巨人ファンなのと同じことです。僕が90年代に言い始めたのは、それはむしろ人間の主体性を無前提に信頼しすぎているのではないか、ということです。アングラは「人間はそんなに心理的に喋るものではない」と新劇を批判しましたが、アングラも新劇に対しても、「人間はそんなに主体的に喋るものではないのではないか」と当時20代の若造だった時の僕が言っていたので、すごく怒られました（笑）。そのことを、アフォーダンスの研究者たちがあとから実証してくださったのはありがたかったです。

内田　僕も合気道と能楽を両方稽古してみてきたので、平田さんが言われることはよくわかります。人間というのはそのつどある種の物質的な関連性の中に投じられている。だから、「よく生きる」というのは、そのネットワークの中で、いるべき時に、いるべきところに行って、何をなすべきかを知るということになる。それって、主体的な行為ではないんです。むしろ場からの「呼びかけ」にこたえるということに近い。「天職」というのは英語ではvocationとかcallingとも言いますけれど、どちらとも「呼びかけ」です。呼ばれて、そこに来て、頼まれた仕事をする。それが「天職に出会う」ということじゃないかという気がします。自分自身を省みても、今までやってきた仕事は全部「呼ばれて」、やってきたものです。自分で選んだわけじゃない。「ちょっと内田くん、来てくれない？」と呼ばれて、「ちょっとこれ手伝ってよ」と言われて、「いいすよ」って感じで（笑）。気がついたらそれが職業になっていた。フランス文学も、合気道も、そうです。だから、呼びかけを聞き落とさないで、いつも耳を澄ませている。

平田　合気道は相手の力を利用するから、特にそういうものだと思いますが、武道全般でもそういうことが言えるのですか？

内田　競技武道はいささか力点が違いますね。強弱勝敗を競っていれば、確かに人間の身体能力は上がります。でも、合気道は相対的な身体能力を高めるということは目的ではない。合気道はもう少しプリミティブな武道なのかも知れません。人間の生きる知恵と力をどうやって高めていくかを考えます。相対的な優劣を競うことによって選択的に発達する身体能力もあるし、それでは開発できない能力もあるということで、どちらが良い悪いということではありません。合気道は勝敗を競わないので、宗教的な行いとかヨガにむしろ近いのかも知れません。ただ、合気道の場合は、「相手が攻撃してくる」という対立的な状況をまず設定します。相対的な強弱勝敗に居着きやすい状況をまず作っておいて、それでも対立的にならないように稽古する。ちょっとややこしいんです。説明してもなかなかわかってもらえない（笑）。

平田　一般的に見ると、何のためにやっているのかと思ってしまいますよね。

内田　「なぜ勝つことを目指さないんですか」「なぜ強くなろうとしないのですか」って訊かれても、答えようがない。「内田さん、強いんですか」ともよく訊かれますけど、「さあ、あまり強くないんじゃないかな」って（笑）。

平田　僕も妻と付き合い始めた頃、妻が合気道をやっていると言うので「それは僕が何かをしたら投げられちゃうということ？」って聞いたら「そういうことはありません」って言われました（笑）。

内田　合気道を稽古する目標は、習った技を一生に一度も使わずに済むことなんですよね（笑）。

平田　（笑）。

内田　人を投げたり、関節を極めたりするような状況に絶対立ち入らないために、こういう稽古をしているわけですから。逆説的な武道なのです。

ポピュラリティーがないものに存在理由はないのか？

平田　大学の話に戻りますが、「なぜ観光とアートなのですか？」ってよく聞かれます。それは先ほどお話ししたように、コロナ後の日本に中国や東南アジアの富裕層にリピーターで来ていただくためには、「文化観光」が大事になってくるからです。それは、食やスポーツなども含みます。その中でも、日本は「夜のナイトアミューズメント」が弱いので、これをやるのが大学のコンセプトです。さかのぼること２００９年の民主党政権の時に、私は国土交通省の成長戦略会議で、観光部会の座長をやっていたんです。

内田　そうだったんですか！

平田　当時、国土交通大臣をされていた前原誠司さんに頼まれて。「訪日外国人インバウンド２０００万人」計画は、僕が作ったんです。観光庁のシンボルマークである日の丸と桜のデザインも、前原さんが「小学校の頃から、図工・美術が苦手だったのでやってください」と言われて（笑）、辻元清美さんと一緒にあのデザインを選びました。

政府の成長戦略会議の座長レベルになると、官僚からのブリーフィングがものすごくあります。ずっと缶詰めにされて聞かされていると、何が観光に足りないのか、門外漢ながら本質がわかってきました。それで、私は「日本で最も観光に詳しい劇作家」になっていたので（笑）、10年以上経ってまさかここで役に立つとは思いませんでした。

内田　なるほど。

平田　さっき内田さんが、「平田オリザ、いろいろ考えているな」とおっしゃったけど、それはちゃんとバックグラウンドがあってということなんです。

ロイヤル・シェイクスピア・カンパニーを作った、ピーター・ホールという演出家がいます。彼はピーター・ブルックと並んで世界で最も有名な演出家の一人で、若くしてロイヤル・シェイクスピア・カンパニーを創設。70歳を過ぎても様々な劇場の芸術監督をやっていました。

彼が来日した時に私がホストを務めてい

て、「大変じゃないですか？」と聞いたことがあります。「大変だけど、自分の本当にやりたいことを実現するためには、政府や官僚などにきちんと意見が言えないといけないので、一日2時間くらいは事務的な仕事に今も充てるようにしている」と話していました。当時75歳の世界的な演出家がそう話して、なるほどなぁと思いました。残念ながら日本の芸術家にはそういう感覚が非常に少ない。もちろん、もともと向いていない人とか、全然やらなくていい人もいると思いますが。

例えばフランスの場合だと、早い人は20代後半で劇場の芸術監督になって、5000万円〜2億円くらいの事業予算を任せられる。そうすると当然、自分の作品だけではなく、「劇場の公共性」を考える。そこで演劇史などを勉強し直すのです。地方都市の芸術監督ですから、前衛的なものだけをやっていたら住民から批判を浴びます。劇場の支援会員も増やさないといけない。その中で、自分が許容できる良心的な古典の作品はどれかなど、きちんと選んでプログラムを組むようになります。

そうしていくことで、「自分の芸術性」と「劇場の公共性」というものに折り合いがつけられるようになっていく。ただ、日本の芸術家にはそうした機会がありません。私のようにペラペラと喋るアーティストは日本では三流扱いされますからね（笑）。僕は20代の頃からずっと「平田オリザは自己宣伝がうまい」と言われてきました。でも、ヨーロッパに行って、やっとそちらが変なのだとわかった。ヨーロッパのアーティストで自分の作品について語れなかったら逆に無能扱いされますから。その点は日本とヨーロッパで大きく違うところだと思います。だからヨーロッパで仕事をして日本に帰る時は、飛行機の中で「これから日本だからあまり喋らないようにしよう」と自分に言い聞かせています（笑）。

また、いつも説明が難しいと感じているのですが、「良質のエリート主義」は大事だと思っています。それを専門職大学でも教えていきたいと思っています。

内田　「芸術家はなぜそんなに威張るんだ」と言われたら、「うるせえ、威張らせろよ」って（笑）。それで済ませていいんじゃないかな。だって、圧倒的な大衆の支持を得るということが目標じゃないんですから。そこそこの人数の人たちに支えられて、それで食えるという仕組みを作るべきなんです。でも、なぜか日本では市場で十分なポピュラリティーが得られないものには存在理由がないのだと考える人が多い。

平田　システムの問題もありますよね。カナダの場合、各州立大学に演劇学部があって、俳優になりたい学生が多く在籍しています。俳優として成功するためにはトロントかモントリオールに出ないといけないので、みんなどちらかを目指します。だけど、やっぱり厳しい世界だから、多くの人はウェイターなどのアルバイトをしながら夢を目指す。でも20代後半になればだいたいい自分の人生が見えてくる。その時にカナダでは、もう一度大学に戻って大学院で教員の資格を得て、演劇の先生になるんです。すべての高校に演劇の授業があるので、すべての高校に演劇の先生がいます。だから、カナダの演劇の先生はとんでもなくみんな上手いんです（笑）。ちなみにアメリカでも最近は生活習慣病の予防医学に演劇も取り入れられています。

内田　そうですね。

平田　先ほどの話にもつながりますが、音楽でいうと芸大や音大を卒業しても、みんながピアニストになるわけじゃないですよね。でも、東京の音大を卒業していれば、地方ではピアノの先生として尊敬もされるし収入も得られました。今はこの構造が壊れてしまっている。だからこうした部分を公的なもので改修しないといけない時代になってきたと思います。

内田　「マーケットは間違えない」というのはビジネスマンの信仰ですけれど、実際にはマーケットはよく間違えるんですよ。マーケットは短期的な利益にしか反応しないので、10年や20年というタイムスパンでの利害を計算できない。でも、今の日本は、有料公演で黒字が出るもの以外は存在理由がないようなことを平然と言い放つ人がいる。そんな基準でみたら、古典芸能のほとんどは消滅してしまう。でも、芸能というのは必ずその国の歴史と文化の深層に結びついているもので、その層にアクセスすることで人々はある種の力を引き出している。それが「国力」なんです。それはマーケットが選好するかどうかということとは別の次元の話なんです。もっと長い、50年、100年スパンで考えないといけないことなんです。でも、それがわかってもらえない。だから、いいんです。わかってもらえなくても。「明日の米びつ」が心配だからマーケットだけ見ているという人はそれでいい。僕はもっと長いタイムスパンで考える。

平田　この間、関経連の部会に呼ばれて文化政策について講演をしました。そこで出た質問で、カジノのIR関連で国に提出する申請書をたくさん書かないといけないらしいのですが、国が出している基準の条件に一定面積で日本の伝統文化を紹介するコーナーを作らないといけないと、大阪で。「どうしたらいいですか？」って言われて。

内田　（笑）。

平田　それはまず文楽の人たちに土下座するところからでしょうと（笑）。どの面下げてやるんだよと。もうすでにしっぺ返しされているという情けない状態になっています。

「公的＝時の権力者の近さ」という大きな誤り

平田　ドイツのハンブルクの国立歌劇場でオペラを作ったことがあります。劇場からの依頼で東日本大震災、できれば福島の原発問題に触れるオペラをやってほしいという依頼でした。ヨーロッパでは、市民が議論しなければいけない題材を提供するのが、劇場のミッションだと考えられています。鑑賞後に、市民が対話をするというのが劇場の役割なのです。マーケットに任せられるような娯楽性の高い作品は公共ホールではやる必要がない、逆に政治的な課題などを扱わないといけないということです。これは韓国もそういう法律を持っています。

でも、日本では逆です。公共ホールは税金を使うのだから政治的なイシューから腰が引けるという傾向がある。ただし、これも理由があります。新劇のほうにも責任があるのだけど、演劇鑑賞会などを通じて演劇をプロパガンダとして使ってきたからです。それは公共ホールとしても腰が引けるだろうという面がある。

特定の政党や候補者を支持するような作品を上演することはできないけど、観ることによって議論することがとても大事です。だって「あいちトリエンナーレ」の問題でも、ただ女の子が椅子に座っているだけじゃないですか。それを見て、どう思うかを議論するかというのが美術館の役割なわけです。百歩譲って、レイプしているシーンなど、どうしても私は見たくない、不愉快に思うから展示しないでくださいということはあり得るかもしれない。

しかし、女の子がただ椅子に座っている作品を展示させない根拠は何もありません。それは、まさに思想・信条、内面にかかわることです。そこから何を連想するかは人々の自由で、憲法でも保障されている。今はどちらかというと、資本の論理によって表現の自由が侵されやすい状態になっています。やはりスポンサーの意向も聞かなくてはいけない。その自由を保障するために公的な機関がある。これがヨーロッパの基本的な考え方です。

内田　日本の場合は、「公共的」という概念が誤解されていますね。多くの人が「公共的」ということを現在の政権に親和的だということだと思い込んでいる。官邸からの親疎の距離によって「公共性」の度合いが決まる。官邸周りにいる人たちと、彼らが好むことが「公共的」であって、官邸から離れるほどに「非公共的」で、「反社会的」に認定される。だから、「官邸近くにいる公共的な人たち」は、さまざまな公的な支援を受けたり、公的な機関を利用できたりできるけれど、「官邸から遠く離れている、非公共的な人たち」は、公的な支援を期待すべきではない、と。でも、そんなのおかしいじゃないですか。たまたま直近の選挙で相対多数を制した政治勢力が「公共」を名乗るなんて。政党はあくまで「私党」に過ぎないわけですよ。選挙に勝ったことで彼らが手に入れたのは、自分たちの好む政策を優先的に実現する権利だけであって、彼が「公共」を名乗る権利を手に入れたわけじゃない。そんなことを許したら、政権交代するたびに「公私」がころころと逆転することになる。そんなことがあっていいはずがない。たまたま暫定的に政権をとっている権力者からの親疎の距離に基づいて公共性の濃淡が決まってくるというのは異常ですよ。

「あいちトリエンナーレ」の問題にしてもそうですよ。公共性とは何かという本質的なことが見落とされて、今の権力者のイデオロギーと親和するかしないかだけで公共的であるか非公共的である方が判定されるということを怪しまない人たちが大きな声を上げている。

以前に僕が護憲集会で講演する時に、神戸市と神戸市教育委員会がそれまで行ってきた護憲集会への後援を取り消してきたことがあります。護憲・改憲さまざまな意見がある中で護憲集会だけを後援するのは政治的中立性を期し難いからというのです。僕はちょっと頭にきましてね。だって、公務員には憲法99条に定められた憲法尊重擁護義務があるわけじゃないですか。日本国憲法と日本の法律を遵守しますと署名・捺印して公務員になっている人たちが「護憲・改憲、護憲いろいろな意見があって中立性を期し難い」というのはおかしいでしょう。そう思うなら、公務員になる時に「護憲・改憲いろいろ意見がある中で、一方の政治的意見に過ぎない憲法尊重擁護義務には応じられません」と言って、押捺拒否すればいいじゃないですか。そんなこと、してないんでしょう。「憲法を尊重し擁護します」と誓約して公務員になった人間にとっては護憲は義務でしょう？　私人として改憲派であったとしても、公務員としてふるまうときは痩せ我慢してでも「護憲」の立場に立つのがことの筋目でしょう？　それを踏みにじって平気でいられるのは、彼らに取って「公共」というのが今の政権のことだからですよね。内田のような今の政権に批判的な人間は非公共的な人間なので、公的支援は与えられない、と。そういう没論理的なことが平然と行われている。これはもう日本における「公共の崩壊」と言わざるを得ない。

平田　日本は政権交代が実質ほぼない国で、アーツカウンシルみたいなものも機能しない。日本はそうは言っても住みやすくて穏やかな国です。本来戦前の教訓から教育委員会の独立性などができたわけですが、文化について他国から文化や言語を奪われた経験がほぼない。民間で勝手に生えて育つと思われていますからね。文化を守るという概念が育ちにくい国なのだと思います。

内田先生もご存知のように中貝豊岡市長は、自民党出身の保守政治家ですが、「あいトリ問題なんか何が問題なのだと、どんどんやってください」とおっしゃっています。この前も津田大介さんをイベントで呼びましたし。大村愛知県知事にもお目にかかったのですが、真っ当な保守政治家なんですよね。

内田　あれくらいが普通の自民党だったんですから、今が異常なんですよ。

平田　大村知事は宏池会出身なので、彼ははっきりと「今の自民党はトランプに乗っ取られた共和党と同じです」とおっしゃっていました。

内田　そうですね、一刻も早い政権交代が待たれます。

平田　（笑）。

内田　だって民主党政権の頃は、平田さんや僕は総理大臣とメシを食ってたんですから（笑）。

平田　そんなに昔じゃないんですけどね。

内田　ついこの間ですよね。総理大臣とお昼ご飯食べただけで、別に特にいいことがあったわけじゃないんですけど、僕みたいな人間の意見を聴いてくれるなんて、ずいぶん寛容な総理大臣だなあと思いました。だって、僕と高橋源一郎さんに「教育行政についてご意見を伺いたい」って言うんですよ。またああいう時代にならないかなと（笑）。

平田　生きているうちにもう一回くらいチャンスはあると思います。

内田　もう一回くらい来そうな気もしますけどね（笑）。今日は面白いお話、ありがとうございました。

平田　ありがとうございました。

（２０２1年3月下旬収録）

内田樹（うちだ・たつる）

１９５０年、東京都生まれ。思想家、武道家。神戸女学院大学名誉教授、凱風館館長。著書に『ためらいの倫理学』、『レヴィナスと愛の現象学』、『他者と死者』、『日本習合論』、『コモンの再生』など。第六回小林秀雄賞（『私家版・ユダヤ文化論』）、２０１０年新書大賞（『日本辺境論』）、第三回伊丹十三賞を受賞。

街場の芸術論

発行日　２０２１年5月31日　初版発行
　　　　２０２１年10月10日　第3刷発行

著　者　内田 樹

装　丁　アジール（佐藤直樹＋菊地昌隆）

ＤＴＰ　伏田光宏

編　集　吉田遊介

発行者　片山 誠

発行所　株式会社青幻舎
　　　　〒６０４－８１３６
　　　　京都市中京区梅忠町９－１
　　　　ＴＥＬ：０５７－２５２－６７６６
　　　　ＦＡＸ：０５７－２５２－６７７０

印刷・製本　株式会社シナノパブリッシングプレス

Printed in Japan

ISBN978-4-86152-839-2 C0095